riches et célèbres

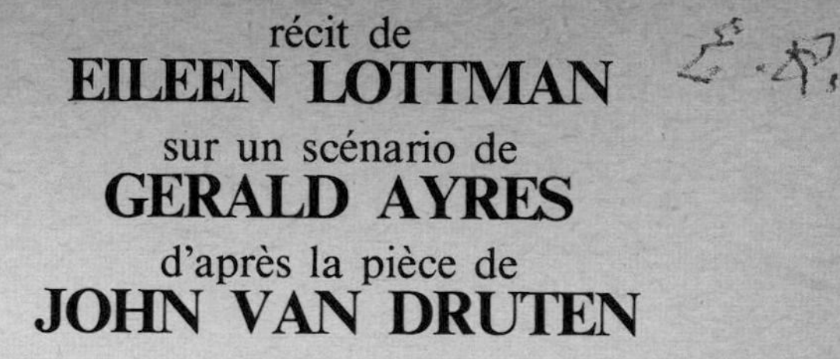

récit de
EILEEN LOTTMAN
sur un scénario de
GERALD AYRES
d'après la pièce de
JOHN VAN DRUTEN

riches et célèbres

traduit de l'américain par Jacqueline Lahana

Éditions J'ai Lu

Titre original :

RICH AND FAMOUS

© by Metro-Goldwyn-Mayer Film Co., 1981

Pour la traduction française :
© Éditions J'ai Lu, 1982

1

Sous sa couverture de neige, Wallace House reposait, tranquille, dans la nuit froide de la Nouvelle Angleterre. Liz Hamilton, debout à l'abri du porche obscur, regardait le campus et bravait de temps à autre la bise pour scruter la rue avec anxiété. Des plaques de glace scintillaient çà et là sous les réverbères vieillots.

Liz frissonna, alluma une cigarette et s'enveloppa dans son manteau à col montant. Sous son bermuda à la mode, ses jambes étaient nues. Cette année-là, tout le monde à l'université de Smith portait des bermudas. 1959 était l'année du bermuda : en coton imprimé au printemps, en flanelle grise à l'automne et en laine l'hiver, acheté chez Peck & Peck ou chez Brooks Brothers au nouveau rayon pour dames. Et toujours avec des chaussettes assorties. Mais Liz avait prêté ses chaussettes bleu marine à sa camarade de chambre qui les avait fourrées dans sa valise quelques minutes plus tôt.

– Tu en trouveras d'autres ici, à Northampton, avait dit Merry gaiement. Je parie qu'on n'en vend pas en Californie et regarde comme la couleur va bien avec cette tenue. Merci, Liz, tu es vraiment un amour, tu sais.

– Je sais, avait soupiré Liz en enlevant ses chaussettes.

A présent, ses jambes commençaient sûrement à bleuir : à qui fallait-il donc des chaussettes? Elle jeta un coup d'œil sur ses jambes longues et fines, plutôt jolies, malgré la chair de poule. Au moins, elle avait les pieds bien au chaud dans ces pantoufles bordées de fourrure que Merry lui avait laissées.

– Je n'aurai pas besoin de pantoufles, là-bas, avait annoncé Merry d'un ton enjoué. Et avoue que tu en as envie depuis longtemps.

– Tu n'auras pas besoin non plus de chaussettes de laine bleue, avait murmuré Liz entre ses dents.

Elle suivit des yeux son haleine qui se condensait dans l'ombre froide du porche. Merry lui manquerait, pensa-t-elle tristement. Et pourtant, après ces derniers mois de bavardages interminables, cela allait être agréable de pouvoir enfin travailler sans être dérangée. Mais c'est vrai qu'elle lui manquerait, oui, beaucoup.

Elles étaient devenues d'excellentes amies. Liz ne se liait pas facilement. Elle se souvenait qu'il lui avait fallu du temps pour apprécier Merry. Lorsqu'elles s'étaient rencontrées pour la première fois, Liz avait jugé Merry superficielle, sotte et pas du tout sérieuse. Et j'avais raison, se dit-elle en grelottant dans l'obscurité. Puis elle sourit : elle n'avait pas prévu que Merry se montrerait si bonne, si drôle, si intelligente aussi, qu'elle finirait par lui faire confiance et l'aimer vraiment. J'imagine que c'est cela l'amitié, rester dehors à me geler afin que

Merry puisse s'esquiver en douce, quitter l'université et les études, se faire enlever.

Des phares apparurent au coin de la rue et le taxi dérapa en freinant devant la maison. Liz ouvrit le portail et veilla à ne pas le laisser claquer derrière elle. Elle descendit les marches en courant et traversa le sentier enneigé jusqu'au bord du trottoir. Son manteau s'ouvrit brusquement et le vent glacial de janvier s'engouffra dans sa chemise d'homme, mais Liz était si soulagée d'agir qu'elle ne sentit pas le froid.

Elle grimpa sur un tas de neige au bord du trottoir et se pencha pour parler au chauffeur. Il baissa à peine la vitre pour se protéger du froid.

– Vous attendez une minute, d'accord? Deux? Et... pouvez-vous éteindre les phares? S'il vous plaît, ça vous ennuie?

Habitué aux manières bizarres des étudiantes, le chauffeur remonta la vitre en bougonnant, avança un peu la voiture et coupa le moteur. Liz fit demi-tour et regagna rapidement la maison. Wallace House n'avait jamais eu l'air plus accueillant. Les lumières qui brillaient en bas, dans le salon, et aux fenêtres du dernier étage animaient son énorme façade de brique. Il est vrai que c'était l'époque des examens de fin d'études. Quelques étudiantes travaillaient encore.

Une fois à l'intérieur, elle ne prit pas le temps de réchauffer son corps transi, mais ralentit le pas en passant devant le salon. Elle jeta un coup d'œil dans la salle, mais personne ne fit attention à elle. Examens ou pas, on jouait quand même au bridge. Deux des joueuses portaient des bermudas, les deux autres des pyjamas de flanelle et des robes de chambre molletonnées. Assise dans l'un des gros fauteuils, sous un bon éclairage, une jeune fille penchée sur un manuel élevait son esprit et déformait sa colonne vertébrale.

Liz grimpa quatre à quatre l'escalier largement incurvé, ses longs cheveux noirs flottant sur ses épaules. L'excitation de participer à une opération clandestine, la course précipitée, les trois étages montés à la hâte, tout cela donnait à la beauté naturelle de Liz un caractère exceptionnel. En entrant dans la chambre qu'elle partageait avec Merry, elle aperçut son image reflétée dans la glace, sur la porte entrouverte de la penderie. Elle rougit de sa première réaction : qui était donc cette merveilleuse créature au teint frais, à la peau transparente, au regard intelligent et à la somptueuse chevelure noire?

– Oh mince! mais c'est moi! se dit-elle gênée.

Merry ne fermait jamais la porte de la penderie.

– Merry?

Liz secoua la tête en voyant le désordre de la chambre, ordinairement bien rangée. Les lits jumeaux débordaient de vêtements et de valises ouvertes. Posé de travers contre la tête du lit, le vieil ours en peluche de Merry contemplait la pièce avec indifférence, de ses yeux fixes et brillants.

L'une des valises – la plus petite – ne pouvait apparemment rien contenir de plus. Une chaussette était fourrée dans l'un de ses coins. Et pour porter bonheur, quelque chose de vieux, quelque chose de neuf, quelque chose d'emprunté, quelque chose de bleu, comme le voulait la coutume. J'espère que cela marchera pour toi, ma chérie, je l'espère sincèrement.

Liz rabattit le couvercle de la valise d'un coup sec.

– Ne la ferme pas! cria Merry du fond de la penderie.

Un léger accent du Sud adoucissait tout ce qu'elle disait et sa voix était étouffée par les rangées de bermudas.

– Tu n'es pas prête? demanda Liz, étonnée.

Il lui sembla qu'elles préparaient cet instant depuis des semaines.

– Juste une minute, murmura Merry.

– Une minute, mais pas deux. Le taxi n'attendra pas davantage.

Liz n'était pas vraiment inquiète. Merry pouvait paraître peu organisée et même écervelée, mais elle n'avait jamais manqué un train. Et elle ne manquerait sûrement pas celui-là. Liz s'assit sur le bord du lit de Merry après avoir poussé un tas de vieux cahiers pour faire de la place.

Merry sortit de la penderie. Elle était superbe. Elle était toujours superbe. Elle veillait beaucoup plus à son apparence que la plupart des filles à l'université et certainement beaucoup plus que Liz. Merry avait une peau douce et satinée, un visage exquis, une silhouette parfaite et cette qualité diffuse que l'on appelle la classe et qu'il n'est pas donné à tout le monde d'avoir. Merry, elle, l'avait. Elle était habillée comme Grace Kelly dont le dernier film venait juste de sortir. Gants blancs et tout et tout.

– Est-ce que je peux mettre ça? demanda-t-elle.

– Montre-toi à la lumière, dit Liz.

Merry avança, pivota sur elle-même et attendit. Elle était persuadée que sa camarade de chambre avait un goût sûr. Depuis trois ans, elle s'en remettait à Liz qui la conseillait en matière d'élégance et de raffinement. Après tout, Liz était originaire de New York. Et comme Merry le répétait souvent au grand embarras de son amie, Liz était plus élégante, plus intelligente, plus posée et plus douée. Au début, Liz avait été gênée de cette idolâtrie, puis, avec les années, l'estime était devenue réciproque. Il s'avéra que Merry était également sûre d'elle et qu'elle obtenait toujours ce qu'elle désirait. Liz éprouvait une grande admiration pour elle.

– Je veux avoir l'air d'une femme, dit Merry. Tu sais, debout sur le quai, en costume de voyage, avec les bagages autour de moi. Qu'en penses-tu?

Liz s'appuya sur un coude et fit semblant de réfléchir. Merry était splendide comme toujours. Elle avait réussi à donner exactement l'impression qu'elle souhaitait produire.

– Fabuleux.

– Vraiment? s'inquiéta Merry d'une voix traînante.

– Tu fais drôlement adulte, affirma Liz.

Merry se précipita sur elle et la serra fort. Elles restèrent enlacées un instant.

– Oh Liz! la prochaine fois que nous nous verrons, je serai mariée. Tu te rends compte?

Elle se releva et défroissa sa jupe.

– Je ne serai pas mariée, moi, dit Liz en riant pour cacher un soudain accès de tristesse.

A présent, Merry agissait avec une efficacité surprenante. Elle plia ses affaires, les rangea dans les valises et mit de côté, en ordre, les effets qu'elle prendrait plus tard. Elle parlait beaucoup plus vite que d'ordinaire et évitait soigneusement le mot « adieu ».

– Tu viendras nous voir? Tu n'es encore jamais allée en Californie.

Liz éclata de rire.

– J'espère bien visiter la moitié de l'Europe avant d'aller là-bas.

Merry ouvrit méthodiquement tous les tiroirs de la commode pour vérifier qu'elle n'avait rien oublié. Elle trouva une brosse à cheveux et revint vers Liz, assise sur le lit. Elle jeta la brosse dans la plus grande valise. Puis elle resta là, une minute, les mains vides, à regarder Liz.

– Je ne pourrai pas supporter que tu ne viennes pas nous voir, dit-elle d'un air sérieux. (Et, pour atténuer ses paroles, elle ajouta :) Nous irons déjeuner toutes les deux, comme de grandes personnes. A ce moment-là, Doug sera devenu un savant hors pair à Cal Tech (1). Et toi, tu seras quoi? Riche et célèbre! Oui, tu vas écrire le grand roman américain. C'est déjà fait, poursuivit-elle doucement.

Elle semblait au bord des larmes. Liz grimaça un sourire.

– C'était seulement une longue nouvelle pour un journal d'université, précisa-t-elle.

Mais Merry était plongée dans ses pensées.

– Des femmes riches et célèbres, dit-elle lentement de sa voix la plus rêveuse.

Elle ferma ensuite les valises d'un air décidé. Liz

(1) Université Technologique de Californie *(N.d.T.)*.

la regarda glisser ses longs doigts minces dans les jolis gants blancs. Elle ne prit conscience de l'expression de son propre visage que lorsque Merry se remit à parler.

– Oh Liz! soupira-t-elle, je vais te manquer...

Liz leva la tête en souriant :

– Oui, terriblement.

Puis, elle se mit debout d'un bond et saisit la plus grosse valise. Merry prit la plus petite et, brusquement, attrapa de sa main libre le gros ours en peluche.

– Tu le prends? demanda Liz.

– Je ne peux pas laisser Hamburger, répondit Merry d'un air malheureux. Il représente ma famille depuis... euh... depuis que je suis toute petite.

Liz approuva. Elle ouvrit la porte et jeta un coup d'œil dans le hall.

– Tu penses que c'est idiot? interrogea Merry en la suivant.

Comme la porte était ouverte, Liz baissa la voix et murmura d'un ton rauque :

– Voyons, il se peut que tu te moques d'avoir ou non tes examens, mais lui qui est là depuis trois ans et demi, il peut y tenir.

C'était l'un des cadeaux que Merry avait fait à Liz : dire des bêtises, ne pas toujours être sérieuse et ce n'était que récemment que Liz avait compris l'importance de ce cadeau. Ne pas avoir peur de dire des bêtises. Une fois de temps en temps. Elle allait lui manquer...

Merry lui murmura quelque chose, mais Liz ne saisit pas ses paroles.

– Quoi?

– Je disais que Hamburger pourrait peut-être rester avec toi pour te tenir compagnie, chuchota Merry aussi fort qu'elle le put.

Liz haussa les épaules. D'une voix normale, elle ironisa :

– Je me débrouillerai.

Elle sortit dans le couloir désert et, la grosse valise à la main, se dirigea vers l'escalier.

Elles restèrent silencieuses dans le taxi. Liz regardait les rues de la petite ville endormie couverte de neige. Le lierre avait disparu, les maisons étaient sombres et les rues vides. Elle sentait que Merry l'observait mais elle n'avait pas spécialement envie de bavarder. Elles avaient tant parlé toutes les deux ces dernières semaines... ces derniers mois... ces dernières années. La décision avait été prise, le moment était venu, le temps des études terminé. Pour Merry en tout cas et pour elle-même dans quelques mois.

– Tu es jalouse, dit brusquement Merry, la faisant sursauter.

– Quoi? Liz faillit éclater de rire. Tu es dingue, ajouta-t-elle amicalement.

– D'une certaine manière, Doug est plutôt ton type. Il aime les mêmes vieux bouquins rasoirs que toi. Il est si intelligent. Est-ce que je t'ai dit qu'il s'était mis à fumer la pipe?

Liz soupira bruyamment, puis frissonna. Elle avait oublié de remettre des chaussettes.

– Je jure sur tout ce que j'ai de sacré que je ne suis pas jalouse.

Elle prononça ces paroles d'un ton ferme, convaincue de ce qu'elle disait.

– C'est à toi qu'il a donné rendez-vous au début, souligna Merry.

– Ça n'a rien donné, lui rappela Liz.

– Pourtant, il avait l'air de bien t'aimer.

– Oui, et j'y étais sensible, mais je devais préparer mes examens.

Elles en avaient déjà discuté plusieurs fois.

– Il semblait si seul dans le salon que j'ai pensé qu'il avait besoin d'un verre, dit Merry doucement.

Liz la rassura.

– Tu as bien fait.

Elle regarda par la vitre. Elles passaient devant son église préférée, au charme suranné dans le clair de lune sous la neige.

– Je l'espère, dit Merry en réfléchissant à voix haute. Chaque fois que je vais dans ma famille, mes tantes me demandent : « Avec qui sors-tu, chérie? » Là-bas, si tu n'es pas mariée à vingt et un ans, tu es considérée comme quelqu'un de vraiment bizarre.

– Merry...

Liz répéta ce qu'elle avait dit – au moins – mille fois. Mais elle était inquiète pour son amie et elle lui prit la main dans l'obscurité. Si sa propre main était froide, celle de Merry, gantée de chevreau, était douce et chaude.

– Il n'est pas encore trop tard. Si tu crois que tu commets une erreur, Doug attendra que tu aies terminé tes études.

Comme chaque fois, Merry répondit :

– Il ne s'agit pas de cela. Je tiens à Doug plus qu'à tout au monde. Il n'est pas question d'attendre. Tu crois qu'il faut?

Et, comme chaque fois, Liz répondit :

– Je ne le pense pas.

– Ça y est, voilà la gare, annonça Merry.

Maintenant, elle était rassurée et se réjouissait de toutes les merveilles qui l'attendaient. Liz paya le taxi et trouva un porteur pour les bagages. Merry courut sur le quai. Elles étaient presque en retard. Déjà, les lumières du train étaient visibles et se rapprochaient rapidement. Elles entendirent le sifflet strident qui annonçait son arrivée imminente.

Le porteur posa les deux valises et tendit la main. Liz fouilla dans la poche de son manteau et en ressortit quelques pièces qu'elle donna au porteur en espérant que ce serait suffisant. Merry fixait les rails comme si sa propre énergie guidait le train. Lorsqu'il entra en grondant dans la petite gare, Merry se mit à courir, le regard levé vers les fenêtres éclairées qui défilaient à toute allure. Elle avait oublié son rôle de voyageuse élégante et distante.

Elle avança au même rythme que le train qui ralentissait. Avec ses hauts talons, ses gants blancs, son ours en peluche et tout le reste.

– Il est là! Il est là! Tu l'as vu? hurla-t-elle par-dessus son épaule.

– Où? s'écria Liz.

Mais Merry filait déjà sur le quai et Liz, croulant sous les deux valises, dut la suivre en faisant attention de ne pas trébucher. Il y avait peu de monde à la gare à cette heure et le porteur avait, apparemment, disparu.

Le grincement bruyant des freins emplit la gare. Merry s'arrêta au bout du quai. Liz la vit faire un signe de la main et attendre. Un instant plus tard, la porte d'une des voitures s'ouvrit et le contrôleur descendit, immédiatement suivi d'un jeune homme en pantalon large, duffel-coat et lunettes à monture d'écaille. Ce cher vieux Doug.

Liz resta là où elle se trouvait et les regarda s'enlacer. Doug embrassa doucement Merry qui le repoussa au bout d'une minute en lui disant quelque chose. Ils se retournèrent en même temps, les yeux fixés sur Liz qui attendait avec les deux valises. Elle leur sourit et Doug se précipita aussitôt pour prendre les bagages.

– Salut, dit-il.

Il sentait le chaud et le tabac. Le trajet entre Boston et Northampton n'était pas assez long pour qu'il se soit imprégné de ces odeurs déplaisantes. Le pauvre Doug avait dû vivre des semaines difficiles. Ce travail qu'on lui proposait à Los Angeles, la décision de se marier... c'était peut-être plus facile pour les femmes que pour les hommes, comprit-elle en le regardant, surtout dans le cas de Merry : elle s'était en quelque sorte préparée à cela toute sa vie.

– Bonsoir, Doug, dit Liz cordialement.

Elle l'aimait bien, même si elle était consciente qu'il restait avec elle constamment sur ses gardes. Elle ignorait pourquoi, mais c'était ainsi et Liz sentait ce genre de choses. Elle aurait voulu posséder une recette infaillible et instantanée pour le mettre à son aise. Doug était quelqu'un de bien et, de toute manière, l'essentiel était que Merry l'aime et l'épouse.

– Tu as été sage? demanda-t-il, histoire d'engager la conversation.

– Irréprochable, répondit-elle avec un large sourire.

Merry se trouvait juste derrière Doug. Elle ressemblait merveilleusement à une grande personne et était éclatante malgré la course le long des rails qu'elle venait de faire. Une brève seconde, Liz eut envie de lui dire combien elle était belle. D'un air espiègle, Merry fouilla dans la poche du duffel-coat de Doug. Elle y prit quelque chose de sa main gantée de blanc : une pipe.

Doug qui portait les valises lui lança un coup d'œil.

– Tu vois ce que je veux dire? dit Merry à Liz en montrant la pipe.

Liz se mit à rire. Doug était gêné.

– Eh bien, il faut que nous...

Il tourna la tête en direction du train où le contrôleur agitait sa torche d'un geste mystérieux mais pressant.

– Je vais te voler ta camarade de chambre, murmura Doug.

Il était beau et gentil, se dit Liz. Un garçon sympathique. Merry serait heureuse avec lui, *c'était* peut-être la bonne décision.

Liz répondit bêtement :

– Euh... espèce de lâcheurs! Faites un beau voyage... et tout... et tout...

Merry étreignit brusquement Liz, puis le couple se dirigea vers le train. Le contrôleur était déjà sur le marchepied et leur faisait signe de se presser. Ils se dépêchèrent et montèrent dans le train. Liz resta figée sur place, emmitouflée dans son manteau car un froid glacial avait subitement envahi la gare.

Une fois dans le train, ils se penchèrent et agitèrent la main. Elle en fit autant en s'efforçant de sourire.

Tout à coup, Merry descendit et courut vers elle. Elle tenait l'ours en peluche dans ses bras, elle le tendit à Liz et lui donna un baiser sur la joue.

– Tu m'en dois un, dit-elle rapidement et elle regagna précipitamment le train qui commençait à démarrer.

Doug descendit pour l'aider à monter sur le marchepied.

La dernière image que Merry eut de sa meilleure amie resta longtemps gravée dans son esprit. La belle, l'élégante et brillante Liz, celle qui allait sûrement réussir, la fille la plus calme et la plus féminine de toute l'université de Smith, était debout, plutôt malheureuse et définitivement seule et elle tenait par une patte le vieil ours en peluche.

2

Liz se sentait nerveuse, mais cela ne tenait pas vraiment à sa conférence. Elle avait donné tant de conférences de ce genre en six ans, dans des universités ou dans des petites salles : conférences d'écrivain ou réunions politiques féminines comme ici. Elle avait participé à des débats contradictoires et son nom avait été cité dans des petits journaux littéraires à prétentions politiques ainsi que dans le supplément littéraire du *New York Times*. Elle avait l'habitude des visages avides tournés vers elle, des interruptions brusques et des questions pressantes. Elle commençait même à s'accoutumer au fait que ces visages fussent de plus en plus jeunes chaque année.

Depuis qu'elle avait terminé ses études, huit ans auparavant, elle n'avait écrit qu'une seule œuvre. Sans être finalement devenu « le grand roman américain », ce livre avait rencontré un accueil plutôt élogieux auprès de la critique et connu un succès suffisamment important auprès des lecteurs pour lui permettre de se consacrer entièrement à son second roman, sans gros souci matériel. A ses droits d'auteur s'ajoutaient les honoraires de ses conférences, séminaires et congrès. Elle était connue et « promettait » et si elle passait des nuits blanches ou des journées atroces à douter d'elle-même, personne n'en savait rien. Au yeux du public, Liz occupait une position apparemment enviable : elle était belle (à l'époque où Jacqueline Kennedy faisait la couverture de tous les journaux, on avait souvent pris Liz pour elle), brillante, douée, sûre d'elle, elle allait bientôt prouver que son premier roman n'avait été que le prélude à une seconde œuvre réussie et durable.

Sa présence au Mouvement des Femmes de l'UCLA (1) n'avait rien d'intimidant en soi. Elle avait accepté de venir parce que cela lui permettait de se rendre à Los Angeles sans bourse délier, de revoir

(1) Université de Los Angeles *(N.d.T.)*.

Merry, Doug et la petite Debby. Mais aussi parce que c'était une excuse parfaitement valable pour échapper à sa machine à écrire silencieuse et aux pages blanches qui attendaient d'être remplies de pensées profondes. Maintenant, assise à la tribune du Royce Hall, elle examinait les visages des jeunes femmes de l'assistance juste avant de leur être présentée. Elle ressentit une pointe d'appréhension, d'anxiété et même de peur. Elle se demanda combien de temps elle pourrait continuer avec succès à jouer à la femme parfaite, à se poser en modèle devant ces filles innocentes et ambitieuses. Le sourire aux lèvres, elle écouta le professeur. Liz Hamilton, le prodige, l'imposture, la promesse qui ne serait pas tenue, la femme seule qui, à trente ans, feignait d'être une grande personne. Merry, es-tu là? J'ai besoin de toi, ma vieille...

Elle regarda successivement chaque rangée : jeans bleus, mini-jupes, cheveux coiffés en queue de cheval ou relevés, blouses paysannes, visages trop maquillés ou pas du tout et ces yeux avides, avides de dévorer la conférencière...

C'est alors qu'elle aperçut Merry qui entrait dans l'auditorium la main dans celle de sa fille de huit ans, et elle eut l'impression de retrouver les siens. Merry était encore très belle et toute dorée. Habillée à la dernière mode, elle portait des bottes blanches et une mini-jupe qui découvrait largement ses cuisses fermes et bronzées. Debby aussi promettait d'être une beauté, remarqua Liz, toute contente. La fillette était également très élégante – le chic californien – : joli jean impeccable et chemise brodée qui avait dû coûter les yeux de la tête.

« ... et parler de débuts prometteurs, c'est parler de Liz Hamilton » dit la présentatrice d'un ton convaincant tout en s'appuyant sur le pupitre pour souligner ses paroles et, sans doute, pour rivaliser avec les deux retardataires. Merry et Debby se dirigeaient vers le premier rang.

« Liz Hamilton a attiré très tôt notre attention avec son premier roman *Chant nocturne* qui a remporté le très convoité National Writer's Award (1). Succès remarquable pour une jeune femme âgée à peine de vingt ans à l'époque. Ses essais paraissent régulièrement dans des revues et journaux et son second roman est annoncé pour la fin de cette année ou le début de 1970. »

Merry et Debby atteignirent finalement le premier rang, enjambèrent quatre étudiantes affalées et deux femmes plus âgées à l'air mécontent avant de s'asseoir légèrement à gauche. Au moment de s'asseoir, Merry leva la tête et rencontra le regard de Liz qui l'observait du haut de la tribune. Elle eut un sourire contrit et fit un signe de bienvenue. Liz répondit par un sourire et un petit geste d'amitié. Tandis que le professeur continuait à parler, l'assistance s'agita pour voir à qui s'adressait ce salut.

« ... Bien qu'elle ne s'identifie pas spécifiquement avec les idées féministes, son œuvre est une évocation de la vie, euh..., de la vie de la femme. C'est une défense de l'éthique féminine, l'exigence d'une place pour la femme. Je vous demande maintenant d'applaudir Liz Hamilton. »

(1) Equivalent américain du Prix Goncourt *(N.d.T.)*.

Les applaudissements furent particulièrement amicaux et enthousiastes. Liz se leva, serra la main de sa présentatrice et se dirigea vers le pupitre. Elle s'efforça de ne pas regarder Merry qui s'était retournée pour jeter un coup d'œil sur l'assistance, manifestement impressionnée (surprise?) par l'accueil fait à son ancienne camarade de chambre. La salle se calma rapidement, Merry se joignit – un peu tard – aux applaudissements puis se prépara à écouter.

– Je remercie sincèrement le professeur Fields, dit Liz, et je remercie tout aussi sincèrement le Mouvement des Femmes de l'UCLA qui m'a invitée dans cette contrée chaude où je reçois un accueil aussi chaleureux. Je ne suis pas sûre qu'il s'agisse d'un instinct typiquement féminin, mais j'ai réellement besoin de beaucoup de chaleur.

Un rire approbateur secoua le public.

– Comme le professeur l'a dit, il est possible que je ne m'engage pas complètement dans les activités féministes...

– Et pourquoi donc? lança une voix agressive du fond de la salle.

Liz s'arrêta et examina les visages de ses auditrices. Il était impossible de dire d'où était venue la question. Elle attendit un instant avant de reprendre son discours, préparé à l'avance.

– C'est peut-être dû à mon travail, c'est-à-dire au fait que j'écris et qu'il en résulte une certaine paralysie. J'en ignore la cause, mais les écrivains – plusieurs – se retrouvent chaque jour confrontés à la peur. Et pourtant, comme disait ce cher vieux James M. Cain, si vous vous endormez sur vos œuvres, comment voulez-vous que vos lecteurs n'en fassent pas autant?

Le rire attendu. Elle essayait pourtant honnêtement de leur expliquer ce qu'il en était, mais pas une ne la croyait. Les écrivains devaient continuer à écrire et les gens ne cesseraient de penser que c'était une manière formidable, facile et fascinante de devenir riche et célèbre. A la surprise de Liz, alors qu'elle attendait que la petite vague de rires s'apaisât, une jeune fille – non, une jeune femme – en jean et blouse mexicaine bondit sur ses pieds, vers le milieu de la salle.

– Mademoiselle Hamilton, prononça-t-elle d'une voix haute et assurée, pouvez-vous expliquer pourquoi vous évitez tout engagement politique dans vos ouvrages?

Liz fut surprise. On n'interrompait jamais une conférence littéraire; la discussion intervenait après. Mais il s'agissait d'une réunion particulière qui pouvait impliquer des interruptions brutales. Et elle avait accepté d'y participer. L'étudiante attendait la réponse, debout, et l'assistance, agitée, attendait également. Liz s'adressa directement à la jeune femme.

– Excusez-moi, quel est votre nom?

– Je suis une femme comme les autres et j'espère qu'une femme aussi prétentieuse que vous finira par reconnaître qu'elle n'est qu'une salope opprimée dans cette saloperie de monde.

Liz fut abasourdie, mais le public s'anima soudain d'une façon qu'elle n'avait jamais rencontrée jusqu'alors. Les unes applaudirent, d'autres crièrent « Assis! », quelques murmures et grognements se manifestèrent. Liz constata avec joie qu'on lui avait lancé un défi sérieux et qu'aucun discours rédigé d'avance n'y répondrait. Elle entendit derrière elle le Pr Fields se lever, prête à ramener le calme, mais Liz lui fit signe de patienter. Le public s'en aperçut et exprima son respect en redevenant tranquille. L'étudiante agressive avait la parole :

– On dirait que vous n'écrivez que sur les hommes. Avez-vous honte d'être une femme?

Au moment de se rasseoir, elle ajouta :

– Je m'appelle Alice.

Elle s'assit. Tous les regards se tournèrent vers Liz. La salle était très silencieuse maintenant.

Liz mit ses notes de côté. Même si elle était insolente, la jeune femme méritait une réponse sincère.

– Alice, dit Liz en se penchant, j'ai une confession à vous faire. Toute ma vie, j'ai eu un faible pour les hommes âgés. Mon père était vieux quand je suis née et très vieux quand il est mort. Mon premier roman parle de lui et je ne vais certainement pas m'en excuser.

Tentatives éparses d'applaudissements, vite arrêtées.

L'intérêt marqué par le public devint d'une intensité presque palpable.

– Vous pourriez dire que j'ai toujours été attirée par les hommes âgés. Le vieux Picasso. Le vieux Brahms, le vieux Yeats, par exemple. Je les considérais comme de délicieux fruits mûrs. Personnellement, je me suis toujours sentie comme un fruit vert, sans grâce. J'ai maintenant trente ans et je suis bien obligée de penser à moi comme à une adulte.

Rires.

– A présent, je cherche à me rapprocher de Colette. Ce n'était pas à strictement parler une militante, mais elle a su exprimer clairement la science inexacte des émotions. Dans mon nouveau roman, j'essaye de montrer cette même clarté. Aussi... plaida-t-elle d'un ton sincère en pesant chaque mot, soyez tolérante. Si jamais, je m'attendris trop avec l'âge, vous, Alice, et vous toutes, gardez votre verdeur et sifflez-moi avant que je ne devienne une salope prétentieuse.

Les rires et les applaudissements éclatèrent bruyamment comme s'ils avaient été trop longtemps contenus. Elles semblaient avoir compris, ou du moins, elles essayaient de le montrer. Elle se sentit tout à coup moins seule qu'elle ne l'avait été depuis des années. Elle ne put retenir un sourire, elles sourirent également et applaudirent à tout rompre.

Liz regarda Merry qui tapait dans ses mains et riait tandis que la petite Debby, assise près d'elle, applaudissait fièrement la meilleure amie de sa maman. Merry observait l'assistance enthousiaste autour d'elle comme si elle ne pouvait y croire ou plutôt comme si, à sa fierté et à son bonheur devant le succès de Liz, se mêlait une émotion moins charitable. Merry était incapable de cacher ses sentiments.

Une heure plus tard, elles échappèrent toutes les trois à la foule qui refusait de laisser partir Liz et se faufilèrent dehors. Merry donnait la main à Liz et à

Debby. Elle les conduisit au parking, à sa Mercedes, et se mit au volant en éclatant de rire.

– Enfin seules! Il y a si longtemps que nous n'avons bavardé ensemble. Notre dernier séjour à Doug et à moi remonte à des siècles. Te voilà ici maintenant, mais tu es devenue une telle vedette que j'ai eu du mal à t'arracher à tes nombreuses admiratrices.

– C'était amusant, murmura Liz en s'installant sur le siège en cuir. Ces gamines sont formidables et très stimulantes

– Oui et elles t'aiment. Mais qui ne t'aimerait pas? Sans blague, je suis contente de te voir. Vraiment.

– Moi aussi.

– Eh bien, c'est la belle vie... on est au bord de l'eau. Nous sommes très heureux.

– Ah! que ce soleil est agréable, dit Liz et elle rejeta la tête en arrière pour permettre à la brise marine légèrement brumeuse de chasser l'hiver et ses soucis.

– Nous allons nous ranger ici et descendre à pied jusqu'à la maison, annonça Merry.

Elle franchit les grilles de Malibu Colony et se gara. Elles empruntèrent un sentier étroit qui longeait l'arrière de maisons identiques, serrées les unes contre les autres. Debby gambadait en avant et Liz, chaussée d'escarpins de cuir noir peu pratiques, suivit Merry entre les rochers pittoresques.

– Tu ne le croiras jamais, mais ces petites maisons au bord de la mer coûtent aussi cher qu'une résidence dans ma ville natale.

Elles entrèrent dans un petit patio qui donnait sur la plage.

Brusquement, l'océan Pacifique, immense et bleu, s'étala devant elles. Doug était là, vautré sur une chaise longue, le nez dans un livre et un verre à la main.

– Au cas où tu l'aurais oublié, dit Merry, ce bel homme est mon époux.

Doug lâcha son livre et se leva d'un bond pour accueillir Liz. Il l'embrassa carrément sur la bouche. Il sentait le whisky et la cigarette, ce qui n'était pas désagréable.

– Tu as l'air en pleine forme, dit-elle tout à fait sincère.

– Autant que toi! Que tu es belle! s'exclama-t-il.

– Vraiment? demanda Merry derrière eux. Laissez-moi juger. Mon Dieu! mais c'est vrai, tu n'es pas mal. Et elle est célèbre. Tu aurais dû voir ça, Doug... Debby, ma chérie, sors tes mains de ton pantalon! Si tu avais vu, Doug, comme ces filles l'admiraient... Mon Dieu! qu'elles étaient jeunes... Debby, nous avons tous des choses intéressantes sous nos vêtements, mais ce n'est pas une raison pour les tripoter.

Doug éclata de rire et se baissa prestement pour prendre Debby dans ses bras et l'embrasser. Merry se rapprocha d'eux et planta l'un de ses habituels baisers retentissants sur la joue de sa fille. Elle jeta un coup d'œil à Liz comme pour lui dire : On est bien, tous les trois, hein? Liz fut profondément émue. Et elle eut l'honnêteté de reconnaître intérieurement qu'elle était jalouse.

– Ainsi, tu es numéro un au hit parade, dit Doug.

Il tenait toujours Debby dans ses bras mais regardait Liz.

– Ah oui! à UCLA? Je ne pense pas que les Mouvements des Femmes et le département d'anglais sachent ce qu'est le hit parade, répondit Liz en riant.

– Excuse-moi, plaisanta Doug. C'est une expression du show biz.

La voix de Merry avait une pointe d'agacement que Liz ne lui connaissait pas.

– Tu ne vas pas commencer, Doug.

– Ici, à Malibu Colony, nous ne parlons qu'ainsi, poursuivit Doug, toujours gai.

Liz s'aperçut qu'il avait dû boire pas mal.

– Liz ne s'intéresse pas aux âneries d'Hollywood, dit Merry rapidement.

Elle prit Debby des bras de Doug et la reposa à terre en lui caressant la tête d'un air absent.

– Liz est un écrivain qui vit à New York, ajouta-t-elle. Elle prend son café tous les jours au *Palm Court* du Plaza Hotel et ses steaks au restaurant *Four Seasons* dans Park Avenue.

– Je suis très impressionné.

– Je prends mon café dans un *deli*(1) de la 6e Avenue, précisa Liz, troublée par cet accrochage entre Merry et Doug.

Elle se trompait peut-être, mais Merry n'était-elle pas en train de lui chercher querelle à elle aussi? Ne t'en fais pas, se dit-elle, il arrive que les couples se disputent, ça ne compte pas, ne joue pas à la

(1) Deli ou Delicatessen : épicerie-brasserie. *(N.d.T.)*.

vieille fille en prenant tout cela au sérieux. Et elle poursuivit à voix haute :

– Ce n'est même pas un *deli* connu, c'est tout petit, juste un trou dans un mur, mais on y fait du bon café.

– Je suis d'autant plus impressionné, dit Doug avec un sourire chaleureux.

Liz se mit à rire. Merry resta sérieuse, prit son amie par le bras et l'entraîna dans la maison. Doug regagna sa chaise longue.

– Il m'en veut, parce que nous n'habitons plus près du labo, confia Merry. Tu te rappelles cette maison. Je ne pouvais pas la supporter. Pasadena est exactement comme Atlanta si ce n'est qu'on y ment encore davantage.

Si tu savais la chance que tu as, se dit Liz, et elle demanda :

– Quand vais-je revoir ton bel époux?

Elles se trouvaient dans la salle de séjour ensoleillée, complètement vitrée, qui donnait sur le patio, la plage et la mer.

– Oh! plus tard. Nous donnons une réception en ton honneur et... – elle jeta un coup d'œil dans le patio – il a accepté de ne pas travailler pendant un moment.

– Une réception?

– Oui, cet après-midi. Voyons, tu es ma seule amie célèbre.

– Si peu, lui rappela Liz.

– Ce sera très bien pour les gens qui vont venir. Ils sont tous si célèbres! Viens, je vais te montrer ta chambre. La vue sur la plage est agréable si tu tends un peu le cou.

– Oh! c'est très joli, vraiment. C'est merveilleux d'avoir une maison comme ça, Merry. Et je parie que tu n'as même pas de cafards.

– Non, mais nous n'avons pas non plus les théâtres de Broadway. La salle de bains est juste audessous. La réception commence dans une heure, le traiteur va arriver. Tu ferais mieux de t'habiller. Tu dois être pressée d'enlever tes tristes habits d'hiver. Veux-tu que je te prête une toilette plus voyante?

– Merci, mais j'ai apporté une robe qui sera parfaite. A propos, tu ne m'as jamais rendu mes chaussettes bleues? Tu te rappelles?

Merry eut l'air étonné :

– Tes chaussettes?

– Je savais que tu ne les mettrais jamais en Californie, dit Liz en riant.

– Oh! les bleues! Oui, je m'en souviens. Seigneur! comme nous étions jeunes! Des chaussettes!

– Qui sait, cela peut revenir à la mode, un jour.

– Si tu as besoin de quelque chose, tu n'as qu'à appeler.

– Merci, Merry.

– Hé! tu sais quoi?

Liz qui s'apprêtait à ouvrir sa valise, s'arrêta et leva la tête :

– Quoi?

– Tu m'as vraiment impressionnée, ce matin. Tu es formidable.

– Oh! nous l'avons toujours su, dit Liz soudain gênée sans raison valable.

– Riche et célèbre, tu t'souviens?

– Oui.

– Tu l'es devenue.

– Pas tout à fait, Merry.
– Zut! je vais être en retard. A tout de suite.
– C'est ça.

Liz défit ses bagages et ôta rapidement ses vêtements devenus brusquement trop lourds et trop sombres. Elle enfila sa robe, regarda le paysage puis apprécia d'un œil de connaisseur les gravures accrochées au mur et remarqua que la lampe de chevet éclairait bien. Elle regrettait qu'il y eut cette réception, car elle aurait préféré passer quelques heures tranquilles avec eux. Elle souhaitait également que le léger froid entre Merry et Doug disparût et qu'ils puissent rire et rester tous les trois ensemble. Bien sûr, une réception à Malibu pouvait être intéressante et cela faisait plaisir à Merry. Ce sera sans doute agréable. Elle allait peut-être rencontrer un homme beau, intelligent et... célibataire...

Elle se brossa les cheveux, prit sa trousse de maquillage et se dirigea vers la salle de bains. Elle ouvrit machinalement la porte et tomba sur une scène qu'elle ne devait jamais oublier.

La baignoire débordait de bulles roses et deux têtes rieuses dépassaient de la mousse légère. La petite Debby, les cheveux relevés, était couverte de bulles du front jusqu'au menton et Merry, sa mise en plis soigneusement protégée par un épais bonnet en plastique, un gant dans sa main plein de savon, cherchait à atteindre les oreilles de sa fille. Elles levèrent la tête ensemble quand Liz entra mais ni l'une ni l'autre ne sembla troublée par cette intrusion.

– Excusez-moi, murmura Liz.

– On en a pour une minute, chérie, s'écria Merry.

– Je n'ai pas l'habitude d'avoir des gens dans ma salle de bains, c'est pourquoi je n'ai pas frappé, dit Liz, embarrassée.

Merry ignora la gêne de Liz. Elle réussit à atteindre une oreille de Debby avec le gant malgré la montagne de bulles.

– C'est la seule façon d'enlever toute la crasse.

– Ouille! cria Debby en riant.

C'était la scène la plus émouvante que Liz ait jamais vue, un moment d'intimité entre deux êtres – ici, une mère et sa fille – un moment d'amour pur, partagé sans réserve, cette étroite harmonie avec l'autre que Liz n'avait jamais connue. Ni avec sa mère, morte lorsqu'elle avait l'âge de Debby, ni avec son père, ni avec un amant, avec personne. Le cœur de Liz se serra; au bord des larmes, elle décida de sortir et de refermer la porte sur cet amour qu'elle avait dérangé.

Merry la rappela avant que la porte ne se fût refermée.

– Liz?

Elle revint et dit timidement :

– Hein?

– Il t'arrive de sortir dans les endroits à la mode, n'est-ce pas?

Debby ne semblait absolument pas gênée par la présence de Liz. Elle faisait éclater des bulles entre ses jambes et gloussait de joie quand elles s'écrasaient et volaient autour de la baignoire. Liz s'aperçut qu'elle enviait aussi bien la fillette que la mère.

– Hein? répéta-t-elle.

Elle n'était ni tout à fait à l'intérieur ni tout à fait dehors; elles allaient attraper froid à cause du courant d'air. Elle entra et ferma la porte.

– Quel genre d'endroits? demanda-t-elle.

– Eh bien, le restaurant *Four Seasons* et puis, tu sais, ces boîtes où l'on danse, celles où il est impossible de reconnaître un garçon d'une fille. Ces endroits dont parle *Vogue*, dit Merry.

Une grosse bulle rose se posa sur le bout de son nez. Ses épaules dépassaient du bain de mousse et ses bras lisses étaient bronzés.

– Non, je ne fréquente pas ce genre d'endroits, répondit Liz.

– Où vas-tu alors?

Merry leva la tête vers elle, comme une enfant. Sa fille essayait de faire un bonhomme de bulles avec la mousse.

– Je... euh... voyons, je dîne beaucoup dehors avec des amis. Mais je ne crois pas qu'ils lisent *Vogue*. Nous ne savons jamais dans quel restaurant aller.

Merry fronça le nez, la bulle disparut.

– C'est l'inconvénient d'être descendue ici, remarqua-t-elle d'un ton sentencieux.

– Que veux-tu dire?

– Tu ne te trouves pas dans un bon hôtel.

Merry fit claquer son gant et s'attaqua à la seconde oreille de sa fille. Liz hôcha la tête et quitta la pièce. Quelques minutes plus tard, Debby, les joues toutes roses, lui annonça que la salle de bains était libre.

Les invités portaient des jeans à patte d'éléphant,

bien propres et repassés et de longs colliers de perles multicolores ornaient parfois leur cou; quelques hommes avaient la chemise ouverte jusqu'à la ceinture. La plupart des femmes étaient vêtues de longs caftans de couleur vive, souvent profondément décolletés. Tous appartenaient de près ou de loin au show business. Ils étaient drôles et bruyants, buvaient sec et riaient fort, comme c'est souvent le cas dans des réceptions de ce genre. Ici, cependant, quelques invités étaient nu-pieds.

Doug se tenait derrière le bar en bambou et préparait les boissons pour les invités. Quatre ou cinq d'entre eux attendaient d'être servis et tournaient le dos au paysage. Liz avait rencontré tellement de monde à la fois qu'il lui était difficile de les différencier. Elle était contente de rester debout près de la porte ouverte du patio et d'observer ce mélange haut en couleur. Elle excellait dans l'observation des gens et Malibu Colony apparaissait clairement comme l'une des arènes les plus spectaculaires de ce sport réjouissant.

Merry la rejoignit, traînant dans son sillage un grand jeune homme, tout en dents. Il portait une veste à la Nehru, dans un coton aux dessins excentriques, boutonnée jusque sous le menton.

– Je te présente Kent, dit Merry en le poussant vers Liz. Mais ne te mets pas en quatre pour lui plaire, parce que ça le gêne.

– Salut.

Le jeune homme sourit à Liz sans la regarder en face et elle éprouva le sentiment désagréable qu'il lui offrait un cadeau rare et précieux dont elle devrait lui être reconnaissante. Mais qu'avait donc voulu dire Merry? Quelle drôle d'idée : se mettre en quatre pour lui! Le jeune homme parut attendre d'elle une réponse intelligente à l'étrange présentation de Merry.

Elle sourit.

– Ne vous en faites pas, je sais seulement comment me gêner moi-même.

– Navré, dit-il en lui jetant un coup d'œil, mais je n'ai lu aucun de vos livres.

– Je n'en ai écrit qu'un, précisa Liz, sans cesser de sourire.

– C'est un livre merveilleux y compris les parties que je n'ai pas comprises, la complimenta Merry.

Le jeune homme au nom invraisemblable de Kent montra une lueur d'intérêt. Il lança une œillade à Liz et se pencha vers elle :

– Quelles parties?

– Les parties inconnues, répliqua Liz.

Kent sembla intéressé, mais Merry l'emmena rejoindre les autres invités. Il devait être connu. Un acteur de cinéma? Liz n'allait pas souvent voir des films.

Elle entendit Merry qui disait :

– Je t'avais dit qu'elle était spéciale. Maintenant, viens... Oh Mon Dieu! Karen, il te faut un verre! Doug, cria-t-elle, Karen meurt de soif!

Liz se dirigea d'un pas nonchalant vers le bar. La foule avait diminué autour de Doug. Elle se hissa sur un tabouret verni. Doug coupait des tranches de citron à l'aide d'un couteau pointu et disposait les rondelles sur un plateau.

– Comment vas-tu? lui demanda-t-elle.

Doug leva la tête et lui sourit.
– Je suis ivre.
– Désolée.
– Moi pas.
Elle tendit son verre vide.
– Laisse-moi te rattraper.
Il prit le verre et le posa à côté.
– Tu ne devrais pas parler au barman. La moitié d'Hollywood est ici.
– Oui, mais le quart d'entre eux s'occupe tellement de l'autre quart que les uns et les autres m'ignorent.
Il la regarda, son sourire jovial se transforma en un véritable sourire amical.
– Veux-tu que nous allions nous promener? proposa-t-il doucement.
– Et Merry?
Il haussa les épaules, détacha les cordons de son grand tablier rouge et l'enleva. Il rejoignit Liz, lui prit le coude pour l'aider à descendre du tabouret et ils se dirigèrent vers la porte du patio.
– A ton tour maintenant! cria-t-il à Merry, alors qu'ils évitaient un groupe très animé au milieu de la pièce.
– Je suis en plein dans une histoire, protesta Merry.
Elle eut l'air en colère mais cela ne dura qu'un instant; elle redevint tout sourire en revenant auprès des trois hommes qui l'écoutaient.
La plage était déserte et belle. Doug guida Liz sur le sable chaud jusqu'à un rocher au bord de l'eau. Il s'assit, face aux brisants qui déferlaient mollement

quelques mètres plus loin. Liz s'assit près de lui sur le rocher. Au soleil et dans le silence uniquement rompu par le doux clapotis du Pacifique, comme la réception semblait lointaine!

– Ton livre avance? lui demanda-t-il.

– Les cent premières pages sont formidables, je les ai réécrites cinq fois en cinq ans.

Elle ne se plaignait pas et son ton neutre ne révélait pas l'angoisse qui la tenaillait sans trêve quand elle travaillait.

– C'est comme ça que tu écris normalement?

Il posait une question sensée et affectueuse qui montrait qu'il l'avait écoutée. C'était un véritable ami.

– Je n'écris pas normalement, lui confia-t-elle. Je suis bloquée, comme on dit. Cela ne manque pas d'humour, hein?

– Que devient le Français? interrogea Doug, gentiment. Tu es encore mordue?

Liz se mit à rire.

– Hé! Mais tu parles comme un hippie!

Il eut l'air chagriné puis éclata de rire, lui aussi.

– C'est comme ça qu'on parle en Californie, dit-il d'un ton ironique.

Il la regarda et reposa sa question, l'air à nouveau sérieux.

– Encore mordue?

Elle fut gênée. Elle avait toujours raconté à Merry ses aventures et ses petites frasques, soit dans ses lettres, soit au téléphone ou encore lorsqu'elles se voyaient à New York ou à Los Angeles et qu'elles avaient le temps de « tailler une bavette », comme on disait aujourd'hui... Mais, c'était une conversation de filles, de camarades de chambre; c'était gênant d'apprendre brusquement que Merry racontait tout à Doug. Bien sûr, se dit Liz, une femme doit tout raconter à son mari, même les confidences de sa meilleure amie. Elle savait que c'était parce qu'il s'intéressait à elle qu'il l'interrogeait là-dessus ou sur son travail. Elle ignorait d'ailleurs pourquoi elle se sentait gênée. Elle s'efforça de lui répondre le plus sincèrement possible.

– J'étais très jeune, dit-elle en se moquant un peu d'elle-même, et Paris était très vieux...

Doug attendait et elle s'aperçut qu'elle souhaitait en parler ainsi que de sa blessure et de sa solitude. Il avait un air si compréhensif qu'il fut tout à coup facile à Liz de parler :

– Il était très entier et j'étais, euh... timide. Oui, c'est ça. Il a fait tout le travail.

Elle s'arrêta, le regard tourné vers l'océan.

– Et maintenant? insista Doug gentiment.

Liz haussa les épaules, les yeux sur l'écume.

– On devrait être prévenu avant de tomber amoureux. La première fois. On peut tomber sur quelqu'un de particulièrement infect. Et on ne s'en remet pas. De son premier amour. Jamais.

Doug resta silencieux un instant puis demanda :

– Qui remplace le Français?

– Personne pour le moment. Je n'ai pas d'amant, mais j'ai un psychothérapeute.

– Voilà qui manque vraiment d'humour.

– Il dit que lorsque je me remettrai à écrire, je me remettrai à aimer... lui, il dit « à baiser »... Excuse-moi, Doug, mais il est freudien.

– C'est peut-être le contraire, dit Doug d'un ton pensif. Quand tu te remettras à... aimer... tu te remettras peut-être à écrire.

– C'est ce que je lui ai répondu.

– Et alors?

– Il m'a rétorqué que mon problème était de ne pas arriver à écrire... pas le reste.

Ils éclatèrent de rire tous les deux. Doug posa sa grande main réconfortante sur celle de Liz. Des amis. Ils restèrent tranquillement assis un long moment.

3

Le soleil commençait à décroître au-dessus de l'océan et fardait de rouge le ciel comme une vieille reine d'Hollywood. C'est ainsi que Doug le décrivit, une manière adroite d'éviter les adjectifs rebattus et de tomber dans le sentimentalisme qui guette deux personnes devant un coucher de soleil. Liz eut un rire reconnaissant puis quitta, l'air coupable, le rocher sur lequel ils étaient perchés.

– Il doit être tard, murmura-t-elle. La réception...

Doug descendit également du rocher et ils se dirigèrent vers la maison.

– Voilà Debby qui vient nous chercher, dit-il, tout content.

Il adressa à sa fille un grand sourire accueillant tandis qu'elle courait à leur rencontre.

Debby marcha entre eux et leur donna la main.
– Où en est la réception? lui demanda Doug.
Debby fronça le nez.
– J'sais pas. J'jouais avec Merton.
– Tu as bien fait.
– Qui est Merton? interrogea Liz.
– C'est soit sa tortue, soit le petit voisin, je me trompe toujours, dit Doug d'un ton taquin.
– Oh! Papa! gloussa Debby.
Elle sautillait sur le sable moelleux.
– Merton est le chien qui habite deux maisons plus bas, expliqua-t-elle à Liz.
– Oh! je vois, répondit Liz.
Doug et elle échangèrent un sourire par-dessus la tête de Debby.
A mi-chemin de la maison, ils virent Merry qui s'approchait d'eux. Son long caftan jaune, soulevé par la brise marine, flottait derrière elle comme de grandes ailes. Les reflets du soleil couchant auréolaient d'or ses cheveux et sa robe et la faisaient ressembler à un ange. Mais, en l'occurrence, il ne s'agissait pas de l'un de ces anges musiciens si familiers. Merry était furieuse.
– La réception nous réclame? demanda Doug, cordialement.
Il avait délibérément choisi d'ignorer le regard noir de sa femme.
– La réception est finie.
– Je suis désolée, dit Liz.
Non pas parce que la réception avait ressenti son absence. Ou vice versa.
– Quand un homme marié s'en va avec la meil-

leure amie de sa femme, il y a de quoi avoir des soupçons.

Les lèvres de Merry étaient étroitement serrées. Liz n'avait jamais vu son amie ainsi. Elle se sentit coupable sans savoir exactement pourquoi.

– Alors, nous ferions mieux de quitter cette communauté idiote, déclara Doug d'un ton tranchant, car je n'ai pas l'intention de changer mes habitudes.

Il lâcha la main de Debby et partit d'un pas raide vers la maison.

– Merry... marmonna Liz sans savoir que dire. Il n'y a pas de raison d'être...

– Jalouse? Ne sois pas stupide. Et maintenant, Debby, dis-moi ce que tu as fait cet après-midi. Et que veux-tu à dîner? Il reste un peu de ce merveilleux pâté...

Elle donna la main à sa fille et toutes les trois traversèrent rapidement le patio où le serveur ramassait les verres sales et les cendriers trop pleins, puis entrèrent dans la maison. Doug se versait à boire au bar. Il ne leva pas la tête.

Le dîner, composé des restes abondants et délicieux de la réception, fut pris dans la petite cuisine, près du bar. Debby, Liz et Merry se hissèrent sur des hauts tabourets et goûtèrent le pâté, le fromage, les crudités, les nombreux amuse-gueule, les crackers et les feuilletés, le guacamole et les crêpes mexicaines, les tranches de jambon fourrées d'olives, la truite fumée, un peu de saumon froid poché, les foies de poulet enrobés de bacon et les noix de pécan salées. Elles parlèrent de Debby et de son école, de ses amis, de ses leçons de natation et de surf ainsi que des gens qui avaient assisté à la réception. Tous appartenaient, apparemment, au monde du cinéma et Merry fut plutôt déçue, lorsque Liz lui avoua qu'elle n'avait jamais entendu parler d'aucun d'entre eux.

Le dîner fini, Debby alla se coucher après les avoir embrassées. Liz suivit Merry dans leur pièce préférée : « la pièce familiale ». Doug, affalé dans un fauteuil, semblait lire à moins qu'il ne regardât la télé. Il fit un signe quand elles entrèrent mais sans lever la tête ou ouvrir la bouche. Une bouteille de scotch à moitié vide se trouvait sur la table, à côté de lui. Il buvait son scotch pur et sans glace.

– Sers-toi un verre, si tu veux, Liz. Tu m'en prépares un? dit Merry en montrant le bar.

Elle s'assit devant une table de formica blanc, à l'autre bout de la pièce. Elle prit des lunettes à monture bariolée qu'elle mit sur le nez. Elle sortit un ouvrage de dimensions imposantes de la boîte à couture posée près de la table et commença à broder.

Liz prépara deux scotchs avec beaucoup d'eau et rejoignit Merry. Elle regarda, étonnée, la très belle broderie aux dessins compliqués que Merry avait étalée devant elle.

– C'est extraordinaire, Merry. Comme c'est beau! Je ne te savais pas capable de faire des choses pareilles. C'est magnifique!

– J'ai beaucoup de talents cachés, dit Merry en riant. Tu pourrais avoir des surprises.

Doug posa brusquement son livre par terre et se leva. Il adressa un demi-sourire à Liz et se dirigea vers la porte. Comme il passait devant leur table,

Merry, sans détourner les yeux de ses écheveaux de soie, lui dit :

– Un baiser.

Doug s'arrêta, se pencha et embrassa sa femme sur la joue.

– Je ne suis plus fâchée.

Elle tourna son visage vers lui – rayon de soleil radieux après les nuages.

– C'est bien.

Il l'embrassa à nouveau. Mieux. Merry sourit. Elle regarda Liz.

– Merci, Doug, dit Liz.

– C'est moi qui te remercie, répondit-il. Bonne nuit, mesdames.

– Bonne nuit, chéri.

– Bonne nuit, Doug.

Merry reprit sa broderie, choisit l'un des nombreux écheveaux aux couleurs éclatantes et subtiles et étala la toile à moitié terminée sur la table. C'était vraiment impressionnant, très beau. Une œuvre d'art, dans son genre.

– Merci, Merry, dit Liz.

Un sentiment de plaisir indéfinissable l'envahit soudain devant leur amitié, leur respect mutuel et leur intimité qui, elle le savait, survivraient à tout.

– De quoi? interrogea Merry.

Elle la regarda par-dessus ses lunettes qui avaient glissé sur son nez d'une manière très seyante.

– Oh!... d'être là. Une année je suis venue ici en rentrant de Paris et tu étais là. Une autre fois, j'ai voulu m'enterrer jusqu'à ce que les critiques parlent de moi et tu m'as ouvert ta porte. Et cette réception...

– Cette petite réception... Oublie-la.

Liz sourit.

– J'ai toujours pensé que si mes livres avaient un jour du succès, je t'achèterais un manteau de vison.

– De zibeline, dit Merry rapidement.

– D'accord, de zibeline.

– Tu as eu beaucoup de succès, Liz. On a parlé de toi dans *Newsweek*.

Liz haussa les épaules.

– Il y a des tas de gens ratés dans *Newsweek*.

Merry devint sérieuse.

– Parmi les invités, certains connaissaient ton nom. Ils appartiennent tous au monde du cinéma, ils sont riches et célèbres, toi, tu n'es que célèbre. C'est le plus dur.

Liz se leva et se pencha sur le fauteuil qu'avait occupé Doug pour prendre la bouteille de scotch qu'il avait laissée. Elle remplit son verre.

– Il ne t'arrive que des choses plaisantes, dit-elle à Merry. Un beau mari qui t'aime, une jolie petite fille intelligente. Et tu sais broder.

Elle reposa la bouteille, puis se ravisa et la reprit pour remplir davantage son verre. Elle se retourna et vit Merry qui l'observait par-dessus le bord de sa monture bariolée.

– Tu as l'intention de boire?

– Hein? Oh! juste un... pourquoi? Quelque chose ne va pas?

– Je voulais te parler.

Liz revint s'asseoir près de la table, la bouteille à la main.

– Je peux boire et parler. Vas-y.

Merry ôta ses lunettes et les posa sur son ouvrage. Elle regarda Liz.

– Liz, ma chérie, dit-elle d'une voix traînante, je suis fière de la manière dont tu as réussi.

– Ça me fait une belle jambe, répondit Liz en souriant.

– Qu'est-ce que je fais, moi ici? Je reste là à broder comme ma grand-mère et à embrasser mon mari lorsqu'il part travailler.

– Et Rock Hudson vient prendre le thé chez toi, souligna Liz.

– Allez, ils sont comme tout le monde. Ils ont des problèmes comme toi et moi.

– Peut-être pas les mêmes. On pourrait en discuter.

Merry la regarda, très sérieuse. Elle voulait en venir à quelque chose. Mais à quoi?

– Tiens, prends le beau gosse, tu sais, mon voisin, dit Merry.

– Ce beau gosse n'est peut-être qu'un voisin pour toi, mais il doit apparaître dans les rêves de nombreuses femmes, dit Liz d'un ton ironique.

– C'est exactement où je voulais en venir. Ce n'est pas parce qu'il est une vedette qu'il est forcément heureux. Il passe son temps à se morfondre sur la plage et vient chez moi pour manger un sandwich.

Elle se leva, excitée.

– Il a de quoi se faire du souci.

– A quel sujet? demanda Liz sincèrement étonnée.

Merry ouvrit une porte à claire-voie; Liz l'entendit fouiller, quelque chose tomba d'une étagère, du fond du placard. Merry continuait à parler de son voisin, l'acteur :

– Il s'est marié trois fois et aucune de ses femmes ne valait un clou... et il a pris l'habitude de la drogue... il s'en met même dans le nez..., dit-elle en rentrant dans la pièce.

Elle portait un grand carton du magasin de luxe BONWIT TELLER.

– Voilà, je vais te montrer.

Elle posa le carton orné de fleurs de lavande sur la table. Liz dut attraper la bouteille et le verre pour ne pas qu'ils se renversent. Merry enleva le couvercle et plongea les deux mains dans le carton. Au grand étonnement de Liz, celui-ci était rempli de centaines de feuilles de papier entièrement couvertes de la large écriture désordonnée de Merry. On avait l'impression qu'elles avaient été jetées là n'importe comment, mais Liz qui l'observait avec une curiosité croissante, s'aperçut que Merry savait exactement ce qu'elle faisait. Elle feuilletait les pages, en prenait plusieurs à la fois, les mettait de côté et fouillait plus profondément dans l'énorme carton pour en sortir d'autres. Liz resta immobile, surprise. Elle avala une grande gorgée de scotch.

– Ah!... voilà la partie concernant Kent, laisse-moi voir... hum... hum... (Elle parcourut quelques pages et remit ses lunettes d'un air absent.) Non, ce n'est pas ici... ah!... voici la partie concernant...

Elle s'interrompit et leva les yeux sur Liz.

– Je ferais mieux de commencer par le commencement.

– Commencer quoi? Qu'est-ce que c'est que ça?

Merry s'assit.

– Ça? dit-elle d'un ton soudain vulnérable et presque plaintif. Oh! Liz, je sais que cela peut paraître idiot, mais... le contenu de ce carton est un roman.

Liz n'avait pas encore compris de quelle blague il s'agissait ni pourquoi Merry la lui faisait.

– C'est merveilleux, lança-t-elle avec une incrédulité polie.

– Oh! bien sûr, les virgules ne sont pas toutes à leur place, comme dans tes livres, mais c'est quelque chose à laquelle je tiens beaucoup, affirma Merry d'une voix sincère. Les gens qui fréquentent notre plage ne diffèrent pas de ceux de ma ville natale. Ils ont des problèmes, ma chérie. Et ils me les racontent, parce que j'aime les écouter.

Liz réalisa qu'elle était bouche bée. Elle avala une autre gorgée d'alcool.

– Et tu parles d'eux dans ton livre?

– J'ai changé tous les noms.

– Tu as bien fait.

– On dirait que tu n'as pas envie que j'en parle.

– Je crois que je suis un peu... sidérée. Surprise. Je n'aurais jamais soupçonné que tu avais envie d'écrire.

Ce n'était certes pas la première fois qu'un écrivain en herbe demandait à Liz de juger un manuscrit. Dès qu'on a publié un livre, on s'aperçoit que le monde entier est rempli de gens qui écrivent – ou qui souhaitent le faire – et qui trouvent normal de disposer de votre temps, votre intelligence, votre énergie et votre expérience professionnelle pour vous permettre d'être l'heureux élu qui lirait le – toujours trop long – manuscrit. Elle avait appris à agir avec tact, mais... Merry était sa meilleure amie. Elle ne pouvait refuser à Merry...

– Je vais le lire, promit-elle. Il vaut mieux que je le lise...

– Oh non! c'est tout en désordre, dit Merry rapidement. Je préfère te le lire.

– En entier? demanda Liz, les yeux fixés sur les innombrables pages qui débordaient du carton.

– Oh! Liz, ça t'ennuie? Laisse-moi commencer et voir jusqu'où nous pouvons aller, d'accord? Tu vas sûrement le détester, mais...

Liz versa le reste de la bouteille dans son verre, soupira et s'installa confortablement pour écouter. Merry l'observa sans rien dire.

– Tu veux boire? offrit Liz.

– Non, merci. Tu es prête?

– Bien sûr.

– Il y a un titre. Cela s'appelle *Une maison au bord de la mer*. Tu sais, pour qu'on pense à Malibu.

Liz acquiesça d'un signe de tête solennel. Merry trouva le début et se mit à lire à voix haute, de son accent doux et traînant.

« C'était une première pour Laurelle Jordan. Premier voyage à New York. Première visite au Plaza Hotel. Originaire de Dallas, elle entra dans le bar de l'hôtel avec toute l'arrogance de l'argent texan... »

Elle s'arrêta et regarda Liz qui vidait son verre.

– Tu ne vas pas te saouler, au moins? demanda-t-elle d'un ton plutôt acerbe.

– Je t'écoute, voyons, la rassura Liz.

Que pouvait-elle donc dire qui ne fût ni péjoratif ni, pire encore, condescendant?

Merry poursuivit sa lecture et Liz eut beaucoup

de mal à rester tranquille, à se retenir de grogner, hurler, rire et pleurer. Elle ne pouvait en croire ses oreilles. L'accent velouté de Merry s'élevait et retombait avec une emphase dramatique à mesure qu'elle dévidait les adjectifs fleuris, les dialogues invraisemblables et les morceaux de bravoure. C'était inéluctablement mauvais; c'était si mauvais que, d'une certaine manière, cela en devenait merveilleux.

« Elle était assise là à tripoter l'olive au fond de son verre de cristal. Elle portait un chapeau qui ressemblait à un Stetson. Mais ce n'était pas un chapeau de cow-boy. Il était en zibeline. Ces petits animaux, qui avaient donné leurs vies pour qu'elle portât ce chapeau, avaient tous grandi en Sibérie... »

Liz se trouvait fascinée par les mots comme un serpent hypnotisé par la flûte du charmeur. Incapable de faire autre chose qu'écouter – et frémir de temps à autre –, elle ne pouvait croire ce qu'elle entendait. Et elle ne croyait d'ailleurs pas que Merry pourrait continuer à lire, encore et encore, la nuit entière, toutes les pages du carton de chez BONWIT TELLER.

« Et dire que j'ai passé ma vie à affûter, sculpter, équarrir mes phrases et mes mots jusqu'à ce qu'ils sonnent juste, qu'ils disent exactement ce que je voulais leur faire dire, si respectueuse des possibilités de la langue, que je tremblais de coucher quoi que ce fût sur le papier... J'écoute Merry... J'écoute ce qu'elle est en train de lire. Elle a écrit ça. Elle a écrit cet incroyable tissu de fadaises. A la main. »

L'aube envahit le ciel californien. Liz avait changé

de position une ou deux fois tandis que Merry poursuivait sa lecture. Le petit matin trouva Liz affalée dans un fauteuil en toile, une jambe par-dessus le bras du siège, son verre vide calé sur l'estomac. Elle écoutait en regardant par la baie vitrée la plage et la mer grise. Elle avait terminé depuis longtemps le scotch de Doug et le fond d'une autre bouteille trouvée dans le bar. Merry était toujours assise à la table de formica; elle n'avait pas bougé de la nuit, même pas pour aller aux toilettes. Etonnante. Merry était étonnante, son livre était étonnant et maintenant que la lecture touchait à sa fin, Liz se sentait singulièrement désolée. Il leur faudrait redescendre sur terre.

« ... elle sentit le sable sous ses pieds et innombrables comme ces grains de sable étaient les souvenirs de ses années... Brad... Eliot... Gerald... entrés et sortis de sa vie comme la marée qui effleurait à présent ses pieds. Le clapotis de l'eau semblait lui dire : tout s'en est allé, il ne reste que tes souvenirs et ceci, ta maison au bord de l'eau. »

Silence.

Merry plaça la dernière feuille de papier sur la pile posée sur la table. Emue par sa propre histoire, elle ôta ses lunettes et regarda calmement Liz.

Assise sans bouger, Liz admirait encore l'océan. Merry alla près d'elle, approcha un coffret capitonné et s'installa aux pieds de Liz.

– C'était bien? demanda-t-elle.

Liz lui jeta un coup d'œil. Elle avait envie de pleurer.

– Pourquoi sont-elles toujours seules à la fin?

Etonnée, Merry demanda :
– Qui?
– Les femmes, dans ces histoires. Elles sont toujours seules à la fin.
Elle se mit à renifler. Elle fouilla dans sa poche à la recherche d'un Kleenex. Elle pleurait maintenant.
– Tu as aimé? interrogea Merry.
Elle n'était pas sûre d'avoir bien interprété l'étrange réaction de Liz. Etait-elle ivre?
– Je suis absolument sonnée, dit Liz, tristement.
Merry n'était pas encore sûre.
– C'est bon?
Liz acquiesça de la tête, solennellement.
– La Mona Lisa ne m'a jamais sonnée.
Elle se moucha puis renifla à nouveau.
Encore incertaine de la réaction qu'elle escomptait, Merry se leva :
– Veux-tu du café?
Après un ou deux faux départs, Liz réussit à s'extirper du fauteuil et se mit debout en vacillant. Le décalage horaire, la nuit blanche, le choc de ce manuscrit extraordinaire... pas étonnant qu'elle fût abrutie.
– As-tu encore du scotch?
– Tu n'en as pas eu assez?
Liz montra son verre vide.
– La dernière goutte avant de se coucher.
Elle regarda en dehors l'aube qui pointait.
– La première goutte du matin, rectifia-t-elle.
Elle entra dans la cuisine. Elle avait déjà fouillé le bar au cours de la nuit : toutes les bouteilles étaient vides. Elle ouvrit systématiquement les placards de

la cuisine, tandis que Merry l'observait depuis la porte. Elle finit par trouver une bouteille de gin derrière un paquet de farine. Elle versa l'alcool dans son verre sale et y ajouta un peu de glace. Elle allait devoir parler.

– Liz, je ne veux pas que tu me dises des mensonges, dit Merry dans son dos.

Liz se tourna vers elle et s'adossa au bar. Le soleil inondait la pièce à présent et renvoyait en ricochets le ciel, l'eau et le sable contre la blancheur éclatante de la maison.

– Combien de temps as-tu mis pour écrire ça? demanda Liz.

Elle voulait vraiment savoir, elle n'était pas en train de tergiverser dans l'espoir désespéré de trouver une réponse pleine de tact. Elle voulait sincèrement savoir; c'était important pour elle.

– Oh! presque une année. Attends... j'ai commencé... euh... juste avant que Debby aille à... j'ai mis huit mois. Tous les après-midi.

– Huit mois, répéta Liz; tous les après-midi.

Elle avait souvent passé des semaines à polir un paragraphe. A rechercher une métaphore. A examiner un mot... Elle prit la bouteille de gin et le verre, retourna dans la salle de séjour et se rassit dans le fauteuil en toile. Des lunettes de soleil ne seraient pas superflues. Merry attendait son verdict. Mais Liz ne souhaitait pas s'ériger en juge. Tout ce qu'elle voulait, c'était écrire bien et avoir de temps en temps une bonne nuit de sommeil. Cependant, elle savait qu'elle devait parler.

– Que veux-tu en faire? Le publier?

– J'allais te le demander, répondit Merry.

– Vas-y, demande.

Le gin n'était pas si mauvais, à condition de fermer les yeux.

Merry reprit la place qu'elle avait occupée toute la nuit, près de la table. Ses doigts bronzés aux ongles parfaitement faits tapotèrent le dessus du manuscrit.

– Je n'aime pas le ton que tu as, Liz.

– Qu'est-ce qu'il a de mal mon ton? Dans le supplément littéraire du *New York Times*, on a écrit que j'étais un maître en ironie.

Malheureusement pour elle, elle émit un rot à cet instant précis.

– Finis ton gin et va te coucher, dit Merry sèchement.

Liz soupira.

– Tu veux que je le montre à Jules Levy.

– Je veux que tu fasses ce que tu crois bien.

– Jules n'est pas l'homme que tu dois voir, Merry. Peut-être quelqu'un d'autre ferait mieux l'affaire, seulement je ne connais pas beaucoup d'éditeurs...

– Pourquoi n'est-il pas celui qu'il me faut? l'interrompit Merry d'un ton coupant.

Comment lui dire que Jules Levy ne s'occupait que des livres importants, des œuvres littéraires... qu'il ne s'intéressait pas à ce genre de romans? Elle ne pouvait dire ça. Mais le tact n'avait jamais été son fort; pourquoi Merry la mettait-elle dans cette situation? Elle loucha un peu à cause du soleil. Merry attendait sans cesser de tapoter le manuscrit de son ongle rose.

– C'est que Jules... cette gravure de mode. Il est toujours tiré à quatre épingles.

– C'est l'éditeur le plus impressionnant de sa profession.

– Disons que je l'impressionne, murmura Liz.

– Oh! Liz, voudrais-tu... voudrais-tu montrer mon livre à Jules Levy et lui expliquer que même s'il ne s'agit pas d'un livre traduit du russe, même si je n'ai pas fui le Rideau de Fer... je sais bien ce que l'on sent lorsque...

– ... on a des sentiments, termina Liz. Tu sais ce que l'on sent, lorsqu'on a des sentiments.

Elle avala une grande gorgée de gin. Quel goût affreux, amer.

– Je le suppose, dit Merry, d'un ton vague.

– Ce n'est pas une supposition, mais un fait. Etabli par le maître en ironie. Merry Noel Blake sait ce que l'on sent lorsqu'on a des sentiments. Cela vous remplit les poches. Mais pas celles de Jules Levy. Il n'a pas de poches. Ses frais de tailleur sont trop coûteux.

– Mais tu le connais... tu pourrais le lui demander. Bien sûr, il peut refuser mon livre, j'y suis préparée. Je sais tout cela... mais pourquoi ne pas le laisser décider... pourquoi pas Jules Levy?

– Merry... d'accord, nous y sommes. Je vais être franche avec toi, totalement. Jules Levy s'intéresse à l'art, à ce qu'on appelle l'Art avec un grand A. Interroge-le et il te dira qu'il n'y a que deux marchés d'Art dans ce pays : les Homosexuels et les Juifs.

Elle se renversa, épuisée, sur le siège et se demanda ce qu'elle pouvait bien faire ici. Voilà ce qui arrivait lorsqu'on fuyait son travail.

– C'est très laid de dire ça, suffoqua Merry.

– Quoi? répliqua sèchement Liz du fond de son immense lassitude. Tu veux parler des homosexuels ou des juifs?

Merry se leva. Elle passa devant Liz et entra dans la cuisine. Elle ouvrit d'un geste brusque un placard et fouilla à l'intérieur. Elle jeta par-dessus son épaule d'un air irrité :

– Je pourrais te gifler sans que cela me fasse quoi que ce soit.

Liz se leva avec peine.

– Encore un verre de gin et moi aussi je ne sentirai rien.

Merry sortit du placard un gros paquet de biscuits *marshmallows* (1) recouverts de chocolat et commença à manger, l'air féroce. Liz la regardait, debout près de la porte, à la fois triste et irritée.

– Tu es jalouse, hein? l'accusa Merry, la bouche pleine de *marshmallows*. Tu t'imagines que tu es la seule à savoir écrire? J'aimerais que tu me dises exactement pourquoi tu penses que j'ai tort d'écrire, Liz Hamilton. Pourquoi ne devrais-je pas le faire?

– Il n'y a aucune raison, répondit Liz d'un ton brusque. Absolument aucune. Juste huit mois passés à écrire tous les après-midi et à apprendre à faire tenir en équilibre des balles sur ton nez. Aucune raison. C'est sans doute moi qui devrais apprendre à en faire autant.

A son grand étonnement, elle s'aperçut qu'elle était au bord des larmes.

– Tu parles! hurla-t-elle. Je suis trop occupée à

(1) Pâte de guimauve (*N. d. T.*).

écrire et réécrire sans cesse mes cent premières pages pour Jules Levy, le célèbre Jules Levy toujours tiré à quatre épingles. Mon impressionnant éditeur que j'impressionne. Il attend depuis des siècles que je devienne ce que je promettais d'être. Mon second souffle, comme ils disent.

Elle renifla et chercha des yeux un mouchoir en papier. Merry ouvrit un tiroir et lui en tendit un.

– Oh Mon Dieu! Merry, ne sais-tu pas ce que cela signifie « être bloquée »? N'as-tu pas quelques complexes? Ne souhaites-tu pas écrire une œuvre majeure qui étonnera tout le monde à la Hadassah locale des homosexuels?

Vêtu d'un court peignoir blanc en éponge, Doug surgit brusquement derrière elle et entra dans la cuisine d'un pas traînant.

– N'ai-je pas laissé mes lunettes ici? Pourquoi criez-vous?

Son regard vague de myope alla de sa femme qui s'empiffrait de biscuits à Liz, pâle et les lèvres serrées.

– Liz est une petite garce, comme on dit chez moi, lui dit Merry et elle prit un autre biscuit.

– Tu n'es pas chez toi, remarqua Liz. Tu es sur la côte Ouest. Et arrête de citer Atlanta comme s'il s'agissait de l'Evangile. Atlanta a capitulé, tu l'as oublié? Grâce à Sherman, la sagesse de cette capitale du Sud – si digne d'être citée – nous a été épargnée.

Merry lui lança un coup d'œil furieux. Du revers de la main, elle fit tomber les miettes restées sur sa bouche.

– Cite-nous donc quelque chose de Paris en

France, mademoiselle Je-Sais-Tout, prononça-t-elle de sa voix traînante.

Liz s'adossa au cadre de la porte. Doug furetait dans la cuisine et feignait de les ignorer.

– A Paris, en France, a vécu un bonhomme homosexuel et juif, dit Liz, en colère. Il a écrit une œuvre en sept volumes qui est considérée comme un chef-d'œuvre. Il avait l'esprit si dérangé qu'il dût se cacher dans une chambre capitonnée de liège, sinon il n'aurait pas supporté de continuer à vivre. Il s'appelait Proust. Marcel Proust, de Paris en France. Il a eu la bonne grâce de souffrir pour son art, mais lui, ce n'est pas sur sa table de cuisine qu'il a écrit son œuvre.

Silence. Regards furibonds.

– L'une de vous a-t-elle dormi? finit par demander Doug d'un ton léger.

Il brancha la cafetière électrique.

– Liz Hamilton, dit Merry lentement, il est de mon devoir de te rappeler une promesse que tu m'as arrachée au début de nos études à l'université. J'avais promis de te prévenir quand tu dépasserais les bornes ou si tu risquais de me blesser. Tu as dépassé les bornes. Maintenant. Tu dois t'excuser.

Liz s'approcha d'elle, tendit la main vers le paquet de biscuits et en prit un.

– Je m'excuse.

Elle fit demi-tour. En passant devant Doug, elle ajouta avant de sortir :

– Dis-lui que je m'excuse... pour mon manque d'honnêteté radical, termina-t-elle froidement.

– Tu mens, s'écria Merry, piquée au vif.

Liz se retourna.

– Pas en ce moment, dit-elle. Je mentirais si... si je te laisse croire... que c'est simplement à cause du scotch et du gin... que je suis sur le point de...

– Tu es sur le point de faire quoi? demanda Merry.

– Vomir, dit Liz rapidement et elle quitta la pièce.

Juste avant d'entrer dans la salle de bains, elle entendit Merry dire à Doug d'une voix calme, assurée et satisfaite :

– Elle a aimé mon livre.

4

Liz avançait rapidement sur le trottoir roulant, consciente de la lourdeur de son gros sac sur son épaule et de la présence chaude et mâle de Doug à ses côtés. Il lui jeta un coup d'œil inquiet qu'elle surprit, il esquissa alors un sourire et elle eut le désir fou de s'appuyer contre lui et de s'abandonner au réconfort de son amitié et de sa virilité. Tellement de temps s'était écoulé depuis Paris et, après Jacques, les autres hommes lui avaient paru bien fades. Doug n'était certainement pas fade, se dit-elle, lorsqu'ils quittèrent le tapis roulant et s'arrêtèrent devant le comptoir d'enregistrement. Bronzé et musclé, il était le seul homme de tout l'aéroport à ne pas avoir les cheveux qui descendaient jusqu'aux épaules. Cuir à franges et regards de drogués semblaient de règle ici; elle était très heureuse de rentrer à New York. Au moins, quand une émeute ou une manifestation éclatait là-bas, on savait que c'était pour ou contre quelque chose. Un jeune – homme ou femme – coiffé d'un bandeau indien et d'une seule natte heurta Liz qui faillit lâcher son sac.

– Ça va? demanda Doug.

Elle lui sourit derrière ses énormes lunettes de soleil.

– Ne t'en fais pas. Je dormirai dans l'avion.

Ils s'approchèrent du comptoir et on lui attribua un numéro de siège.

– Tu n'as pas besoin d'attendre, dit-elle.

– Laisse, cela me fait plaisir.

Elle fit glisser légèrement son sac pour reposer son épaule.

– Tu es un ami merveilleux, Doug. Sincèrement.

– Je suis désolé, murmura-t-il.

– De quoi? Tu te conduis en être humain normal. Mieux même.

– Je suis désolé que tu ne vives pas plus près.

Liz essaya de lire sur son visage, mais Doug cachait lui aussi ses yeux derrière des lunettes noires.

– Vraiment?

– Ce serait bien pour Merry, dit-il un peu trop vite. D'avoir une amie.

– Quelle amie! marmonna Liz.

Elle posa son bagage par terre et observa par la baie vitrée les derniers préparatifs de l'avion, en bas.

– J'aimerais vous comprendre toutes les deux, dit Doug, calmement.

Liz lui sourit.
– Pourquoi veux-tu connaître le secret? Nous n'essayons même pas...
« Départ à destination de New York à bord du vol 100. Embarquement immédiat. Veuillez éteindre vos cigarettes avant de monter à bord... »
– Tu es merveilleuse, remarqua Doug en regardant Liz attentivement.
Il avait l'air de vouloir en dire davantage.
Ensuite, ils s'étreignirent en signe d'adieu. Il était fort, chaleureux et très réconfortant; sans réfléchir, elle posa sa tête un instant sur sa large poitrine. C'était bon. Le menton de Doug s'appuya brièvement et d'une manière attendrissante sur ses cheveux puis Liz s'écarta. Elle se pencha, prit son gros sac et le remit sur l'épaule. Elle ôta les lunettes de soleil et les tendit à Doug.
– Rend-les à Merry et... remercie-la.
Elle lui donna un petit baiser fraternel sur la joue.
– Au revoir, dit-elle et elle s'éloigna.
Elle sentit qu'il l'observait, mais ne se retourna pas pour lui sourire ou lui faire un geste d'adieu.

Le Mouvement des Femmes de l'UCLA avait offert un billet de première à son invitée et Liz leur en fut reconnaissante. Ce serait un vol confortable et tranquille, une transition reposante entre deux planètes différentes. Avant le retour à la vraie vie, à son travail, à sa solitude. Elle se dit qu'elle avait envie d'être seule. Et aucun hippie ne voyageait, apparemment, en première : personne ne jouerait de la guitare ni ne chanterait des mantras tandis qu'elle essayerait de lire. Le passager, assis près d'elle, portait un costume strict de ville et lisait le *Time*. Liz sortit son livre de son sac et s'installa pour le vol.

Aussitôt après le décollage, les hôtesses de l'air commencèrent à pousser leur petit chariot le long de l'allée pour offrir des boissons.

– Cocktail au champagne ? proposa l'hôtesse d'un ton jovial.

Liz leva les yeux et secoua poliment la tête en signe de refus.

– Et vous, monsieur ?

– Oui, merci.

Le voisin de Liz prit un verre sur le plateau et sourit à Liz.

– Vous ne buvez pas ?

– Pas cette fois-ci, répondit-elle avec un léger sourire.

Il hocha la tête d'un air indulgent et Liz reprit son livre. Elle sentait sa présence, à ses côtés. Les yeux clos, il sirotait sa boisson, renversé sur son siège. Elle lui jeta un bref coup d'œil. Distingué, jeune, la trentaine environ, petite moustache, de beaux yeux et pas de bronzage. Chemise et cravate – desserrée – de chez BROOKS BROTHERS. Sûrement un type bien. Elle se concentra sur son livre.

Quelque part dans les nuages, au-dessus du Nebraska ou du Kansas, on leur servit à dîner et tous les passagers qui jusque-là étaient restés assis sans s'adresser la parole, se montrèrent sociables et même bavards pendant deux heures. La pétillante hôtesse blonde revint avec des bouteilles de vin aux marques alléchantes.

– Je ne pense pas qu'elle boive, dit son voisin, assis sur le siège près de l'allée, quand l'hôtesse voulut remplir le verre de Liz.

Liz sourit :

– Un peu de vin? Oui, ça ne compte pas.

Elle choisit un rouge léger et son voisin leva son verre en un toast ironique.

– Ne m'en voulez pas, dit-il en souriant.

Il était vraiment beau.

– Non, acquiesça-t-elle, il n'y a rien à vous reprocher.

Le vin et la compagnie agréable pallièrent les inconvénients de la nourriture synthétique servie sur un plateau en plastique. Max Stewart était avocat et veuf depuis peu. Il lui raconta qu'il avait décidé de ne pas laisser son deuil et sa solitude peser sur les autres; il avait choisi d'être gai et de se tourner vers l'avenir plutôt que vers le passé. Il montra à Liz son alliance qu'il portait toujours.

– Je n'ai pas pu me résoudre à l'enlever, confia-t-il.

– Cela doit être terrible, murmura Liz. Je ne peux pas me rendre compte.

– Oui, c'est dur. Il faut s'habituer.

– Quel âge avait-elle? demanda Liz.

Sa curiosité d'écrivain essayait d'imaginer leurs liens, de mesurer la profondeur de sa perte à lui.

– Si cela ne vous gêne pas de me le dire, ajouta-t-elle rapidement.

– Vingt-neuf ans, répondit Max. J'ai juste deux ans de plus qu'elle.

– Des enfants?

– Non, dit-il tristement. Dieu soit loué.

Liz approuva d'un air compréhensif. ils burent tranquillement leur vin.

On enleva leurs plateaux. Au café et aux douceurs à la menthe, ils préférèrent une autre bouteille de beaujolais. On baissa les lumières à l'intérieur de l'avion et dans l'intimité douillette de la nuit, Liz et Max partagèrent leurs solitudes respectives et trouvèrent de nombreux sujets de conversation tandis que se poursuivait leur vol. A travers les hublots, on voyait les étoiles alentour; tout le monde semblait assoupi. Ils parlèrent de beaucoup de choses et surtout d'eux-mêmes.

Max avait une voix basse et sourde. Il avait ôté sa cravate et s'adressait à Liz d'un air détendu. Ils parlèrent et s'écoutèrent comme s'ils étaient les deux seuls êtres au monde. Leurs têtes étaient rapprochées.

– Avez-vous connu un gars...

Il avait commencé à prononcer ces paroles, lorsque l'hôtesse apparut et leur proposa encore du vin. Sa présence pleine d'entrain détonnait, elle rompait leur harmonie. L'hôtesse remplit leurs deux verres, leur annonça d'une traite que l'avion allait atterrir à l'heure prévue et finit par les laisser seuls.

– Avez-vous connu un gars qui vous aimait tellement qu'il grimpait les escaliers quatre à quatre parce qu'il ne pouvait attendre l'ascenseur? demanda Max à voix basse.

– Vous grimpiez les escaliers pour rejoindre plus vite votre femme? questionna Liz dans un murmure.

– Parfois.

Les yeux de Max brillaient dans la pénombre et

elle pensa que les siens aussi devaient être brillants.

– Je n'ai jamais habité dans un immeuble avec ascenseur, dit-elle, sûre de briser l'ambiance sentimentale, mais incapable de résister au plaisir de faire une remarque futée, et de s'autodétruire par la même occasion.

Il ne sembla pas y prêter attention.

– Cela peut être bien, dit-il doucement.

– Quoi ? chuchota-t-elle.

Peut-être allait-il prononcer le mot magique qui lui ferait croire encore à tout...

L'hôtesse revint :

– Encore un verre avant qu'on aborde la réalité ?

Elle ne pouvait avoir dit cela. Liz détourna son regard des yeux séduisants et vulnérables de Max Stewart et observa l'hôtesse. Elle avait sûrement dit « avant qu'on aborde Kennedy ». Ils approchaient de l'aéroport Kennedy.

– Excusez-moi, dit-elle, et elle se leva.

Elle passa devant Max et se dirigea vers les toilettes. Dans l'étroit espace, mal éclairé, elle tenta de brosser ses longs cheveux noirs et de leur donner un semblant de coiffure. Elle se regarda dans la glace et se parla franchement :

– Te voilà en train d'agir comme une collégienne sentimentale, prête à tomber amoureuse du premier homme esseulé et sexy.

Puis, elle se pencha en avant pour retoucher son rouge à lèvres et se rafraîchir la bouche grâce à un vaporisateur. Elle défroissa son chemisier et vérifia que sa jupe n'avait pas trop souffert du voyage. Pas mal, se dit-elle, en fronçant les sourcils. Pour une femme de vingt-neuf ans, tu te maintiens assez bien. Sa gueule de bois avait disparu et elle se sentait en pleine forme.

Elle ouvrit la porte des toilettes et heurta quelqu'un qui attendait dans le petit passage. C'était Max.

– Excusez-moi, dit-elle.

– C'est de ma faute, sourit-il.

Elle voulut s'écarter, mais l'endroit était trop exigu et des personnes attendaient devant les autres toilettes également occupées. Elle avança pratiquement dans ses bras, puis s'arrêta, embarrassée; ils reculèrent tous les deux, coincés entre la porte ouverte et la cloison.

« Mesdames et messieurs, annonça l'une des hôtesses, le commandant de bord a allumé le signal *No Smoking*, car nous allons atterrir à l'aéroport Kennedy. Nous vous demandons de bien vouloir regagner vos sièges et de ne plus fumer. »

Liz et Max restèrent immobiles. Les autres passagers ne pouvaient les voir. Leurs corps se touchaient étroitement et, brusquement, leurs lèvres aussi se touchèrent. Quand il l'embrassa, elle voulut le repousser mais ne le fit pas. Il l'enlaça. Il était grand et fort et elle se coula dans son étreinte avec un petit cri involontaire de plaisir.

L'avion s'inclina légèrement et amorça sa descente en décrivant un large cercle. Toujours enlacés, Liz et Max trébuchèrent et faillirent tomber dans les toilettes dont la porte était restée ouverte. Il se pencha pour l'embrasser à nouveau sans se soucier de l'endroit où ils se trouvaient. Elle le poussa contre le bord froid du lavabo en acier.

– Désolé, murmura Max.

– Il n'y a pas de quoi, dit Liz.

Ils se regardèrent, se déplacèrent ensemble et échangèrent un autre baiser, tendre et avide.

Max lâcha l'épaule de Liz et ferma la porte de la main.

Les toilettes étaient dotées d'un haut-parleur.

« Nous vous demandons de redresser le dossier de votre siège et de vous assurer que vos bagages à main sont bien placés sous votre siège. »

Max posa sa bouche, humide et exigeante, sur la gorge de Liz et son corps ferme et élancé la serra contre le bord du lavabo. Elle laissa ses mains courir sur le dos de Max; elle réagissait à sa demande pressante et sentait qu'elle était prête à y répondre.

« Le bruit que vous entendez est celui du train d'atterrissage. »

Liz s'aperçut à peine que sa tête heurtait la cloison. Max avait déboutonné son chemisier et poussait des grognements de plaisir et d'admiration devant ses seins doux et fermes; il embrassa toutes les parties que sa bouche tendre et passionnée put atteindre. Elle serra la tête de Max contre la sienne et l'aida à défaire sa ceinture.

Ils entendirent des grincements au-dessous d'eux : les volets d'atterrissage s'ouvraient et les roues géantes sortaient de leur logement.

Liz gémit et se fondit en lui; il la pénétra et haleta de plaisir ravi.

L'avion toucha le sol avec un rugissement et fit une brusque embardée. Les gémissements de Liz s'amplifièrent en un cri et se terminèrent par une plainte inarticulée. Max gémit bruyamment et poussa un profond soupir.

« Les bruits que vous entendez maintenant sont ceux des aéro-freins, destinés à ralentir la vitesse. »

Epuisés, immobiles, ils restèrent étroitement unis, la respiration encore haletante, ils reprirent leurs esprits lentement, les yeux encore fermés.

« Le commandant de bord et tout l'équipage vous souhaitent la bienvenue à New York et vous remercient de voler sur TWA. Nous espérons que votre vol a été agréable. »

Liz se faufila entre les passagers prêts à débarquer, Max la suivit discrètement et si par hasard, leur hôtesse s'était demandé où ils s'étaient trouvés pendant la dernière demi-heure, elle était bien trop avisée – ou trop étonnée – pour laisser voir sa curiosité ou ses soupçons. L'air parfaitement indifférent, du moins elle l'espérait, Liz ramassa son livre et son gros sac, s'enveloppa dans son manteau, et descendit de l'avion sans regarder Max une seule fois. Elle ne savait pas si c'était parce qu'elle ne le voulait pas ou parce qu'elle n'osait pas. A partir de maintenant, c'était à lui de jouer.

Il la rejoignit au point de livraison des bagages. Juste au moment où la valise de Liz glissait vers elle sur le tapis roulant, il s'approcha et la prit. Il la souleva et regarda Liz qui fut obligée de lever les yeux vers lui.

– Liz..., je ne connais pas ton nom. Ecoute, je travaille au centre et peut-être...

Elle l'interrompit :

– Max, certaines choses sont parfaites, telles quelles.
Elle ne voulait pas qu'il se sentît obligé ou coupable.
– Et si je te donnais mon numéro de téléphone? insista-t-il.
– Euh...
C'était tentant et de quoi avait-elle peur? De s'engager à nouveau et d'être encore déçue... non, il ne fallait pas. Elle commença à dire : « Euh »... lorsqu'une voix aiguë d'enfant cria :
– Papa! Papa!
Un petit garçon de cinq ou six ans se jeta entre eux et s'accrocha aux genoux de Max, stupéfait.
Le gamin se trompe peut-être, se dit Liz, mais elle sut qu'elle n'était qu'à moitié surprise, après tout.
– Max! Max, chéri!
Une jolie femme à l'air las s'approcha d'eux en hâte; elle tirait par la main une fillette âgée de trois ans environ. La femme s'arrêta entre Liz et Max et embrassa celui-ci sur la joue.
– Dieu merci, je pensais que nous allions te rater, mon chéri. Les gosses se sont battus sur toute la route depuis l'Avenue Sawmill River. Je voulais te faire une surprise, mais ce n'en aurait pas été une...
Elle se tut, consciente que Liz la regardait d'un air plus intéressé qu'il ne convenait. Max était visiblement mal à l'aise.
– Puis-je vous aider? demanda la jeune femme à Liz.
Liz lui adressa un sourire chaleureux.
– Non, merci.

Elle prit sa valise après un dernier regard méprisant à Max. L'ordure.

– On m'a déjà suffisamment aidée aujourd'hui, ajouta-t-elle.

Elle se dirigea vers la station de taxis.

5

La voiture de Jules Levy, rangée dans la 44e Rue, prenait beaucoup de place. Le chauffeur dont la livrée marron s'harmonisait avec la carrosserie imposante de la limousine, fumait une cigarette, nonchalamment appuyé contre le pare-chocs étincelant.

Au moment d'entrer dans l'hôtel Algonquin, Liz rencontra le regard du chauffeur qui la salua, l'air de dire : lui, il est à l'heure, c'est vous qui êtes en retard. Elle avait pris le bus 104 jusqu'à Broadway et naturellement, ils s'étaient trouvés coincés dans un embouteillage vers la 50e Rue; aussi, elle avait fini par descendre et elle avait continué à pied. Son gros sac pesait une tonne, elle était essoufflée et énervée.

Jules était assis dans un fauteuil d'angle, un vermouth cassis posé sur la table près de lui. Un garçon rôdait dans les parages. Quelques personnes qui travaillaient au *Publishers Weekly* et chez *Simon & Schuster* se trouvaient là, ainsi que deux ou trois écrivains qui ne semblaient pas être de New York, et quelques touristes disséminés dans le hall de réception à l'atmosphère douillette. Jules se leva pour saluer Liz, impeccable monolithe, plus grand, plus imposant et plus courtois que chacune des personnes présentes.

Jules était beau et avait de la classe; c'était un homme qui maniait l'argent et le pouvoir et qui avait l'habitude d'être regardé. Le garçon s'écarta de Jules Levy lorsqu'il tendit la main à Liz. Son sourire aimable et étudié ne s'adressait qu'à elle. Ceux qui travaillaient dans l'édition feignirent de ne pas avoir l'air intéressé mais se tordirent le cou pour voir qui Jules Levy accueillait. Les touristes, eux, les dévisagèrent carrément.

– Bienvenue à New York, ma douce, dit Jules. (Il garda un instant les deux mains de Liz dans la sienne.) Vous êtes presque bronzée.

Puis il la serra dans ses bras.

– J'ai passé pas mal de temps sur la plage, répondit Liz.

Le garçon s'approcha pour la décharger de son gros sac. Mais Jules le prit rapidement des mains de Liz et le soupesa.

– Cela fait cinq ans que je vous appelle et que je vous demande, plein de tact, comment avance votre travail. Pendant toutes ces années, je me suis senti comme un amoureux éconduit. Et, à présent, brusquement, il est fini. Un miracle. Vous m'avez téléphoné! Et voilà le manuscrit! Je suis très ému, Liz.

Il déposa le sac soigneusement sur la table basse en face des deux fauteuils et fit signe à Liz de s'asseoir.

– Eh bien..., euh... pas tout à fait, Jules, murmura Liz, mais Jules ne sembla pas avoir entendu.

– Que voulez-vous boire?

– Une vodka avec un doigt de Cinzano.

– Et un autre cassis pour vous, monsieur Levy? demanda le garçon empressé qui rôdait alentour sans arrêt.

Jules acquiesça de la tête. Puis il dirigea toute son attention vers Liz. Il avait un sourire agréable et des yeux perçants.

– Quand un écrivain téléphone à son éditeur, il s'agit généralement d'argent ou d'amour, ils sont toujours à court de l'un ou de l'autre. Vous seriez surprise d'apprendre combien il est rare qu'un écrivain appelle pour annoncer qu'il apporte un manuscrit.

– Je suis désolée, murmura Liz d'un air coupable. Il ne s'agit de rien de tout cela, Jules.

Jules n'était ni sourd ni stupide. Il avait dû choisir d'ignorer ce qu'elle essayait de lui dire. Il poursuivit d'un ton léger :

– Vous doit-on de l'argent? Bien sûr, vous allez recevoir un chèque important dès que j'aurais lu ceci... (Il tourna la tête vers le sac.) Etes-vous amoureuse? ajouta-t-il en la prenant de court.

Il aimait surprendre les gens; cela lui permettait de garder le contrôle de la situation.

– Non, j'ai déclaré forfait dans ce domaine, répondit Liz avec un petit sourire.

Jules eut l'air inquiet.

– Qu'est-ce que cela signifie?

– Eh bien, je pense que ma confiance, jusque-là infime, a totalement disparu à présent.

Elle haussa les épaules pour montrer qu'elle n'y attachait pas d'importance.

Jules lui adressa un sourire averti et compatissant.

– Qui ne risque rien... lui rappela-t-il.

Liz sourit.

– Je n'ai jamais rencontré quelqu'un comme vous, Jules, dit-elle pour le flatter et rendre l'hommage que son ego réclamait.

Jules demandait – et obtenait – aussi bien flatterie que respect. Les femmes flirtaient avec lui, les hommes le consultaient sur toute sorte de sujets. Malgré sa fortune, son succès et son intelligence, Jules était aussi avide de compliments que quiconque. De toute manière, cela amusait Liz de flirter avec lui car son ego ne dédaignait pas non plus l'attention dont elle était l'objet.

– Qu'est-ce qui ne va pas? demanda-t-il, sans qu'elle sût s'il était sérieux. Vous devriez m'essayer, je suis formidable.

Liz éclata de rire.

– C'est ce que Sarah dit.

– Quelle Sarah?

– Votre femme, Sarah.

Jules eut l'air peiné.

– J'ignore pourquoi tant de femmes séduisantes s'intéressent davantage aux sentiments de mon épouse qu'aux miens.

Le garçon posa les boissons sur la table. Jules leva son verre pour porter un toast.

– A votre roman, dit-il en montrant le sac.

Liz reposa son verre sans y avoir goûté.

– Jules, il ne s'agit pas du mien.

Cette fois, il entendit ce qu'elle disait. Son beau visage aux traits marqués exprima un énorme désappointement. Et un certain mécontentement.

– Qu'est-ce que c'est, alors? demanda-t-il, les lèvres pincées.

Il posa son verre, soigneusement, près du sac.

– C'est un roman écrit par une de mes amies, ma meilleure amie. (Sa voix prit une intonation implorante :) Je pense que c'est prometteur.

– Et votre livre? Je croyais que vous étiez sur le point de le terminer.

– C'est vrai. Depuis que je suis rentrée de la côte Ouest, je me suis replongée dans mon travail. Je veux dire... que je m'y replonge quelques heures par jour.

Jules avala quelques gorgées de vermouth.

– Voulez-vous le lire, Jules?

– Nous allons le donner à lire à Alan.

Alan était le plus jeune de ses directeurs littéraires.

Liz se pencha en avant.

– Je veux que vous le lisiez, Jules. Accordez-moi cette faveur.

Jules prit son temps pour répondre. Il mit dans la balance, d'une part, l'indiscutable prestige que Liz avait ajouté à sa liste d'auteurs et de l'autre, les cinq ans de retard de son second roman et les chances de succès qu'avait le premier livre d'une amie pour justifier qu'on perdît du temps à le lire. A ce moment précis, Liz lui déplaisait, mais il ne voulait pas courir le risque de la perdre et, tout compte fait, cela ne serait peut-être pas mauvais pour lui qu'elle se sentît en dette vis-à-vis de lui.

– De quoi s'agit-il? demanda-t-il prudemment.

Liz débattait d'un petit problème avec sa conscience. Mais elle le régla rapidement.

– De sentiments.

Elle but une longue gorgée de vodka.

– Quels sentiments?

– Le genre de sentiments qu'on éprouve à Malibu, répondit-elle en souriant.

Jules prit l'air de quelqu'un qui a été victime d'une horrible plaisanterie.

– Malibu?

Il lâcha ce mot comme s'il s'agissait d'une moule avariée.

Il finit par prendre le manuscrit, promit de le lire et embrassa Liz – un peu froidement – sur la joue à la sortie de l'hôtel. Il lui proposa de la déposer quelque part entre l'hôtel et la maison d'édition, mais elle refusa. Et elle promit sincèrement de passer le reste de la soirée à travailler.

Elle était devant sa machine à écrire lorsque Jules lui téléphona et, après quelques hésitations, l'interrogea d'un ton désinvolte sur son amie Merry; il lui demanda également son numéro de téléphone et si elle avait un agent littéraire. Et Liz était devant sa machine à écrire le jour où Merry l'appela, en pleine euphorie, pour annoncer qu'elle signait son contrat. Liz était devant sa machine à écrire – seule et proche du désespoir à cause d'un personnage de son roman qui, depuis de longs mois, refusait de prendre vie – le jour où le roman de Merry fut classé premier dans la liste des best-sellers du *New York Times*.

Et, cinq ans plus tard, elle était encore devant sa machine à écrire, au moment où l'une des émissions les plus populaires de la télévision consacra une demi-heure à la vie et l'œuvre de Merry Noel Blake.

Merry disait lentement :

– Comme je viens du Sud, chaque fois que j'ouvre la bouche, les Yankees pensent que je suis stupide. A cause de mon accent? Eh bien, je m'en fiche. Je ne vais certainement pas m'aplatir comme une limande. Je suis fière d'être née à Atlanta. Je lis *Autant en emporte le vent* deux fois par an.

Liz regarda l'émission, fascinée. Merry était merveilleuse. Elle avait toujours été naturellement belle : la bouche et le nez délicatement dessinés, les pommettes sculptées et les yeux qui passaient du vert au bleu selon son humeur; mais maintenant que les hommes de l'art s'étaient penchés sur elle, le maquillage mettait en valeur ses sourcils et ses paupières, ombrageait son visage et sa gorge aux endroits adéquats et lui donnait un teint rosé, enfin ses cheveux avaient exactement le manque d'apprêt voulu. Liz quitta son bureau et se rapprocha de la télé pour mieux y voir. Le noir et blanc empêchait de se rendre bien compte, mais il lui sembla que les cheveux de Merry avaient des reflets. Peut-être brillaient-ils uniquement à cause des projecteurs...

Elle se traita de petite garce. Elle s'assit par terre devant l'écran et regarda très attentivement.

Assis à un prétentieux bureau ovale, le présentateur parlait d'un ton sérieux plein de componction; en arrière-plan, des draperies multicolores recouvertes de guirlandes proclamaient que ce show était transmis d'H*O*L*L*Y*W*O*O*D*.

– Deux fois par an, quand Merry Noel Blake se remet à lire l'extraordinaire best-seller de Margaret Mitchell, ce n'est pas seulement pour se souvenir de sa contrée natale. Elle peut aussi comparer les droits d'auteur. Depuis son premier livre, *Une maison au bord de la mer*, ce boulet de canon tiré sur Hollywood et dont les révélations mortelles ont fauché la moitié de la capitale du cinéma, Merry Blake a fait mieux qu'une simple carrière d'écrivain. Cette dame prolifique qui a publié cinq best-sellers brûlants en cinq ans, est devenue une institution dans le domaine de l'édition. Mais, à quel prix...

Il baissa la voix de manière dramatique pour amener les millions de téléspectateurs à partager les secrets qu'il allait leur révéler.

Liz réfléchit brièvement à ce qui devait se passer à cette minute précise chez Merry et Doug. Ils habitaient une nouvelle demeure à Beverly Hills. Vêtue probablement d'un pantalon en satin ivoire, Merry devait se prélasser sur l'un de ces énormes divans pleins de coussins que le décorateur avait essaimés dans toute la salle de séjour. Elle avait sûrement les yeux braqués sur la télé. Non, Liz se représenta mentalement la scène. Les yeux de Merry erraient probablement de l'écran à Doug endormi sur l'un de ces luxueux divans, un verre vide posé sur une table à côté. Tandis que l'émission consacrée à la célèbre Merry Blake se déroulait, “ l'institution ” en question devait enlever l'une de ses coûteuses chaussures et la lancer à son époux. Dans l'imagination de Liz, Doug se réveillait, remarquait le visage revêche de sa femme et regardait le téléviseur.

Pauvre Doug, se dit Liz, cela doit être terriblement difficile pour lui. Un si gentil garçon, il ne mérite pas ça. Voir deux fois cette émission. Il doit se demander ce qu'il fiche ici à admirer encore cette rediffusion...

On interviewait maintenant l'ancien voisin de Merry à Malibu.

– J'ai toujours aimé Merry. C'est une chic fille.

La voix impersonnelle du présentateur surgit du Saint des Saints, comme celle d'un membre de l'Inquisition le Jour du Jugement Dernier.

– Ainsi, vous ne pensez pas qu'un portrait légèrement altéré de vous figure dans son livre?

Liz regarda attentivement Kent. Son sourire envahit l'écran. Ses dents étaient encore plus apparentes et on lui en avait sûrement ajouté une ou deux, devant, depuis la dernière fois.

– Ai-je l'air d'un gars qui... euh... avec des adolescentes... voyons, un pauvre mec peut perdre la tête une fois dans sa vie... mais avec les filles de tous ses amis y compris la fille d'un directeur de studio? Il faudrait être dingue.

Il devrait exister une loi qui interdit aux acteurs de parler en dehors de leur script, se dit Liz.

– On a donc eu tort d'insinuer que votre avocat voulait lui intenter un procès? demanda l'interviewer d'une voix tonitruante.

Silence piquant. Nouveau sourire de ce bon vieux Kent.

– Ouais et j'ai été désolé quand elle a quitté Colony.

– Malibu Colony, rappelons-le, sert de cadre à son premier roman. Pourquoi a-t-elle déménagé, Kent?

L'acteur haussa les épaules.

– Je l'ignore. Je crois qu'un gars avait incendié sa voiture.

La caméra se déplaça brusquement mais pas assez vite : un tic apparut au coin de la bouche célèbre. Liz, assise par terre devant le poste, coupa la télé en riant bruyamment.

Mais à Beverly Hills, personne ne riait.

Doug prit son verre vide et sortit de la pièce. Merry l'appela d'une voix sèche.

– Tu vas manquer ça.

– C'est une rediffusion, Merry. Je l'ai déjà vue. Et toi aussi.

Il descendit les marches recouvertes de moquette épaisse qui menaient à l'élégant bar, tout équipé.

– Sers-moi quelque chose, lui dit-elle.

– Que veux-tu boire?

– La moitié de ce que tu vas boire.

Prononcée d'une voix hargneuse et déplaisante, cette phrase se voulait accusatrice. Doug ne s'y trompa pas et, de toute manière, il lui était impossible de manquer l'émission de l'endroit où il se trouvait.

– J'ai été la surprise de Noël de ma mère...

Merry prit sa voix la plus séduisante et la plus adorable pour dire cela; il y avait longtemps que Doug n'avait plus entendu ces intonations qui ne lui étaient pas adressées...

– ... alors, elle m'appela Merry Noel, vous comprenez MERRY (1). Et depuis ce temps, tous les copains chez moi, à Atlanta, m'appellent Merry Noel.

Doug se versa un verre et l'avala d'un trait. Il leva la tête, surpris de voir Merry, debout dans l'ouverture arrondie du bar; elle le regardait. Irrité, il remplit un autre verre et le lui tendit.

– Voilà ta moitié, dit-il.

Elle ne fit pas un geste pour le prendre.

– Tu as envie d'aller à New York? demanda-t-elle.

Dans son dos, sa propre voix languissante expliquait comment elle avait écrit le premier livre, le second et les autres...

– Non, répondit Doug, et il reposa le verre sur le bar.

– Je vais participer à l'émission de Merv Griffin.

– Que ferais-je là-bas? demanda-t-il, plein de bon sens.

Etrange comme le doux accent du Sud de Merry pouvait devenir dur.

– Et que fais-tu donc ici?

Doug baissa les yeux et vit le verre. Il le prit et le vida d'un coup, sans la regarder.

– Excuse-moi, dit-elle. Franchement, certains mots s'échappent de...

– Comme un serpent s'échappe de son trou, rétorqua-t-il.

Au même moment, ils entendirent la voix de Liz amplifiée par le micro.

– Je pense que l'on peut dire que nous nous sommes aiguillonnées l'une l'autre.

(1) *Merry Christmas* : Joyeux Noël *(N.d.T.)*.

– Sans aucun esprit de compétition? insinua l'interviewer.

Le petit rire de Liz combla le vide instauré entre Doug et Merry. Ils écoutèrent mais évitèrent de se regarder.

– Lorsqu'elle est entrée pour la première fois dans ma maison d'édition, nous avons convenu de diviser le langage en deux : je prendrai tous les adjectifs.

Tout ce que le présentateur trouva à dire fut :

– Pourquoi?

– Elle m'a dit que les verbes étaient trop brûlants pour moi, répondit Liz en riant.

Doug sourit à cette réplique et Merry soupira de soulagement. La première fois qu'elle l'avait entendue, elle n'avait pas été absolument certaine que Liz ne fût pas en train de faire un bon mot à ses dépens, mais tout le monde, apparemment, aimait cela et si Doug appréciait, eh bien... elle se pencha par-dessus le bar et quémanda un baiser. Doug s'exécuta.

Cette nuit-là, alors qu'ils étaient couchés dans leur grand lit, la lune se montra à la fenêtre de leur chambre. Doug lisait. Merry se tourna vers lui et lui chuchota quelque chose. Il la regarda par-dessus ses lunettes.

– Hein?

– *La cuisine familiale*, répéta-t-elle. Tu aimes?

Il soupira et ôta ses lunettes.

– Quoi?

– *La cuisine familiale.* C'est le titre. Il s'agit de Maman, dit Merry.

– Oh oui! bien sûr.

– J'essaye de me rappeler pourquoi... elle a continué à voir Papa si longtemps. Voyons, elle s'est mariée trois fois et pendant qu'elle vivait avec son dernier mari, elle est partie en douce pour aller voir Papa. Elle avait soixante ans. Mon Dieu! On l'a incitée à le faire.

Doug écoutait attentivement mais il avait entendu tout cela si souvent.

– Hum, hum, dit-il sans vraiment l'encourager, mais il savait qu'elle allait continuer.

– Une chose m'étonne.

– Laquelle?

– Elle a dû aimer Papa.

Doug fit un signe de tête affirmatif.

– On ne se remet jamais d'un premier amour.

– Comment? Comment sais-tu ça, Doug?

Merry se souleva sur un coude et le regarda fixement.

– Non, répondit-il rapidement.

Il essayait seulement d'entretenir la conversation; de communiquer, comme on disait aujourd'hui. Cela ne signifiait pas grand-chose pour lui, ce n'était qu'un cliché. Mais Merry sembla intriguée par sa réponse.

– Tu l'as dit, remarqua-t-elle.

– C'est Liz qui me l'a expliqué, se rappela-t-il.

– Tu as eu une conversation sur l'amour avec Liz?

– Oui.

– Quand?

– Oh! il y a des années.

Merry réfléchit à tout cela très calmement. Doug pensa qu'il pouvait maintenant reprendre sa lecture, mais il surveillait sa femme. Il pouvait presque la voir penser. Finalement, elle sortit sa main de sous la couverture et lui caressa la poitrine. Il attendit. Elle se rapprocha de lui et l'embrassa sur le front. Elle sourit. Doug se tourna vers elle et ils s'embrassèrent.

Il la prit dans ses bras et elle lui répondit avec chaleur. Mais ils firent l'amour sans émotion spontanée, plutôt par habitude. Une certaine anxiété s'était introduite dans leurs relations, même ici, même en ce moment. Ils feignirent de ne pas s'en apercevoir; convaincus, un instant, que tout allait bien... mais soudain, Merry se détacha de Doug et s'assit.

– Excuse-moi, dit-elle précipitamment, je reviens....

Elle se leva d'un bond et disparut dans la salle de bains. Il se sentit plutôt idiot d'être planté là; ses bras enlaçaient encore la place qu'elle occupait une minute plus tôt. La lumière inonda le tapis de la chambre puis Merry ferma la porte. Ses bras se détendirent et il resta allongé sur le dos, les yeux grands ouverts dans l'obscurité. Le clair de lune avait disparu.

Le bureau de Merry communiquait avec la salle de bains et il savait qu'elle était allée là-bas coucher sur le papier ses grandes idées de peur de les oublier. Peut-être décrivait-elle leur manière de faire l'amour? Le point de vue précieux d'une femme et de ce à quoi elle pensait pendant l'acte conjugal? Il pourrait écrire un livre sur ce sujet. Elle pensait à la gloire, à la fortune, pour elle, évidemment. Et c'était tellement plus important que son existence à lui qu'il était normal qu'elle sautât du lit et allât écrire tout cela pour ces millions et millions de minus qui lisaient ses tonnes et ses tonnes de... clichés.

Lorsqu'elle regagna leur lit une demi-heure plus tard, il avait le dos tourné et les yeux clos.

– Doug?

La main qu'elle posa sur son dos était froide.

– Hum, hum, murmura-t-il, tiré de son demi-sommeil.

– Excuse-moi, dit-elle de sa voix traînante, aussi douce que du miel.

– Hum...

– Hé! chuchota-t-elle en le taquinant gentiment, j'ai pensé que tu aimerais... tu sais...

Sa voix s'estompa.

– J'ai fini, grommela-t-il dans l'oreiller.

– Sans moi? s'exclama-t-elle, furieuse.

Mais Doug ne répondit rien de plus. Elle le poussa rageusement des deux mains, mais il ne fit que s'enfoncer davantage sous les couvertures. Merry se tourna brusquement sur le côté, cogna son derrière contre le sien et émit un profond soupir de protestation.

Il finit par aller à New York avec elle et l'accompagna au studio où Merv Griffin enregistrait son émission et resta dans les coulisses. Il la regarda sur un petit appareil de contrôle, car il n'y avait pas de place pour lui dans la salle. Les gens attendaient des mois pour avoir un billet. Des coulisses, il ne put voir ni Merv ni Merry à cause des câbles, des caméras, des lumières et des assistants. Il regarda sur le petit écran sa femme captiver des millions de spectateurs, enfin, ce serait le cas lorsque cette émission enregistrée serait programmée.

– Vous avez une fille, dit Merv Griffin.

– Oui, répondit Merry gaiement. Debby vient d'avoir quatorze ans.

– Quel conseil lui donnez-vous à propos... euh... des garçons?

– Je lui ai répété ce que ma maman m'a raconté : « Si tu penses trop aux garçons, sors et va faire un tour à cheval. »

Merv Griffin jeta un regard surpris à Merry, le signal pour le public d'éclater de rire et d'applaudir. Merv rit avec eux et profita du moment de détente. Merry sourit comme une sainte ou un philosophe qui vient de gratifier le monde de son infinie sagesse.

Doug n'éprouvait nullement l'envie de rire. Il quitta le studio. La sortie des artistes donnait sur une allée crasseuse. Il enjamba une femme soûle, étalée sur le trottoir entre une poubelle débordante et son sac à provisions qui contenait ses misérables affaires. Il héla un taxi et donna l'adresse de Liz.

Elle vivait toujours au Village, dans ce petit appartement qu'elle avait trouvé, juste après ses études à l'université de Smith. Il y avait quinze ans de cela... Doug eut l'impression de rentrer chez lui, lorsqu'il passa la grille en fer et traversa la courette. Il était reconnaissant que certaines choses ne subissent pas de changements.

Il entendit la voix de Bessie Smith qui chantait un blues tandis qu'il montait l'étroit escalier en colimaçon. Cela venait du second étage, de l'appartement de Liz, et l'accueillait comme un vieil ami... Liz était une vieille amie, la meilleure de toutes et elle était responsable de la publication du premier – mauvais – roman de Merry chez le meilleur éditeur; rien de tel qu'un bonheur sans mélange.

Bessie égrenait son blues : " *...gimme a pigfoot and a bottle of beer...* " lorsqu'il sonna. Il sentit une odeur de poulet rôti à travers la porte. La cuisine familiale : quelle manière délicieuse d'être reçu. Il pensa à *La cuisine familiale* et eut un sourire désabusé au moment où Liz ouvrit la porte.

Elle sembla surprise. Elle portait un jean fané et une chemise d'homme, elle n'était pas maquillée et ses longs cheveux noirs, épinglés n'importe comment, retombaient en mèches sur sa poitrine. Elle avait le visage rouge, car elle venait de la cuisine. Elle était d'une beauté merveilleuse.

– Tu es en avance, dit-elle en se levant sur la pointe des pieds pour l'embrasser.

Tout heureux de la voir, il la souleva pour un plus long baiser. Liz l'étreignit brièvement et le fit entrer.

Son appartement petit, confortable et meublé avec éclectisme avait une âme. Il remarqua sur le vieux piano droit, acheté d'occasion, une nouvelle lampe orientable, mais tout le reste n'avait heureusement pas changé. Même les plantes qui survivaient courageusement malgré la pâle lumière filtrant entre les hauts immeubles avoisinants lui parurent familières et accueillantes. Il parcourut du regard le bureau de Liz, les piles bien rangées de livres et de papiers autour de la machine à écrire, le cahier de sonates de Brahms ouvert sur le piano, le tapis persan usé et le fauteuil confortable près de la bonne lampe, les livres qui recouvraient tous les murs s'entassaient sur les petites tables anciennes finement ciselées, héritage familial.

Liz avait laissé sa bicyclette au milieu de la pièce, un sweatshirt gris informe drapé sur le siège. Elle s'en aperçut, posa une tasse de café à moitié vide dans le porte-bagages et fit rouler le vélo jusqu'à sa chambre. Doug s'écarta, lorsqu'elle passa devant lui.

– Tu n'assistes pas à l'émission de Merv Griffin?, demanda Liz pour la forme.

– Je suis sorti boire un verre.

Liz hôcha la tête.

– J'allais justement m'en servir un, dit-elle.

– J'en veux un aussi.

Il alla à la bibliothèque qui se doublait d'un bar et prit la bouteille de scotch.

– Je pensais que tu viendrais avec Merry. Elle oublie toujours la route pour venir ici. Si tu n'expliques pas le trajet au chauffeur de taxi, il lui est impossible de trouver, personne n'a jamais entendu parler de cette rue.

Il lui servit un verre et vida le sien d'un trait. Il semblait en avoir vraiment besoin.

– Elle est capable de repérer une librairie dans un patelin comme Satsuma en Floride. Je ne m'en fais pas pour elle.

Liz le regarda attentivement.

– Je n'ai jamais su si je te préférais sobre ou ivre, dit-elle d'un ton amical.

Doug haussa les épaules et se tourna pour se resservir. Des bruits de mauvais augure leur parvinrent de la minuscule cuisine et Liz fila en courant.

– Mon Dieu! l'entendit-il implorer, faites que je ne brûle pas ce volatile.

Il la suivit, le verre à la main et s'appuya nonchalamment contre l'embrasure de la porte. Il n'y avait pas de place pour deux dans la cuisine, déjà trop petite pour une personne.

– C'est la première fois que je te vois dans ta cuisine depuis que nous venons à New York.

Elle arrosait éperdument le poulet qui sentait délicieusement bon. Comme la porte du four était ouverte, elle dut se mettre de biais entre la cuisinière et l'évier. La pièce s'emplit de chaleur et Doug recula. Il se laissa tomber dans son fauteuil préféré, allongea ses longues jambes et attendit.

– Je n'entre pas à la cuisine si je peux l'éviter, dit-elle quand elle eut fini.

Elle s'enfonça dans le fauteuil en face de lui et ajouta :

– Les cafards parlent de moi.

– Je pense revenir m'installer ici. Je n'ai pas peur des cafards.

– Tu plaisantes.

– Ils se sauvent toujours quand j'allume la lumière. Ils ont peur de moi.

– Je disais ça à propos de ton projet de revenir ici.

Elle l'observa en train de siroter sa boisson, caché derrière le masque immuable du bon-vieux-Doug, facile à vivre. Décontracté, comme on disait maintenant.

– De quoi s'agit-il? demanda Liz.

– Il y a un poste vacant au Rockefeller Institute. Je vais aller les voir.

– Merry a envie de vivre à New York? dit-elle surprise.
– Je l'ignore. Je ne lui ai pas posé la question.
Liz le dévisagea. Il vida son verre et remua la glace qui restait.
– Ne crois-tu pas que tu devrais le faire? demanda-t-elle.
Il serra son verre dans ses deux mains et se pencha vers elle. Cela la rendit mal à l'aise, mais elle resta calme et attendit ses explications.
– J'ai dans l'idée, dit-il en plaisantant à moitié – que si je revenais travailler ici, je pourrais venir chez toi de temps en temps et tu me ferais cuire une volaille...
Il s'interrompit et elle vit du chagrin dans ses yeux. Il se leva soudain et remplit encore son verre.
– Que fera Merry?
– Elle pourra faire un saut entre deux livres. (Il revint s'asseoir.) De toute manière, c'est ce qu'elle fait, un saut entre deux livres.
– Méchant, le gronda Liz.
– Si tu préfères, je ferai la cuisine. T'ai-je dit que j'avais pris l'habitude de lire le *Gourmet Magazine?*
– Laisse-moi te demander quelque chose...
– Je me disais que si je trouvais un travail ici, je pourrais faire cuire un canard... préparer un dessert flambé aux cerises...
– Ça fait plutôt pédé, dit Liz sèchement.
– ... et t'inviter.
– Si tu crois que tu peux laisser tomber Merry entre deux livres et inviter sa plus vieille amie pour un canard...

– Et un dessert flambé aux cerises.

– Bien, continue, Doug. Jusqu'où ton imagination t'entraîne-t-elle ?

Il avala une grande gorgée de scotch. La glace avait presque fondu.

– Je te l'ai dit, elle me ramène à l'université, quand j'ai commencé à sortir avec Merry... Que se serait-il passé si tu...

Elle tendit la main et posa ses doigts sur les lèvres de Doug.

– Tu m'avais promis de ne plus jamais en parler.

Il lui prit la main et garda ses doigts sur ses lèvres.

– J'ai menti, murmura-t-il.

Elle sentit la respiration haletante de Doug contre sa main. C'est alors que le disque se remit au début et rejoua le même blues doux et triste. Doug lui embrassa le bout des doigts, presque sans remuer les lèvres, puis la paume des mains, ce qui la troubla légèrement au début; ensuite, le désir impérieux de Doug éveilla le sien et son corps se mit à vibrer au rythme du blues lancinant qui vous déchirait le cœur.

6

L'interphone de l'immeuble était cassé depuis longtemps. Les visiteurs entraient, montaient l'escalier et arrivaient directement à l'appartement de leur choix. Un coup frappé avec insistance brisa l'intimité de Doug et de Liz. Ils restèrent figés, les yeux dans les yeux, les lèvres de Doug posées sur la main de Liz et le " oui! " passionné qu'ils étaient sur le point d'échanger se transforma en sentiment de culpabilité et arrière-pensées...

– Merry, chuchota Liz.

Elle se détourna en hâte et alla ouvrir la porte. Doug saisit son verre, se laissa tomber sur le canapé, les pieds sur l'accoudoir. Il fixa le plafond, plongé dans ses pensées, le visage impassible.

Merry et Liz ne s'embrassèrent pas. Merry était rouge d'excitation, à moins que ce ne fût de colère ou à cause de son lourd vison trop long et trop chaud en cette époque de l'année. Elle fit irruption dans la pièce sans s'arrêter de parler.

– Le chauffeur de la limousine ignorait totalement où se trouvait Minetta Lane. Il a dû demander à un taxi! Cela m'a tellement énervée que j'ai pris ce taxi, mais son imbécile de chauffeur ne savait même pas où était le Village...

Elle s'interrompit et regarda son mari :

– A ce que je vois, tu n'as pas eu de mal à venir ici, dit-elle d'un ton hargneux.

Doug leva légèrement son verre, en équilibre précaire sur sa poitrine, pour saluer l'arrivée de sa femme :

– Liz a un merveilleux scotch.

– Veux-tu boire quelque chose? demanda Liz.

Elle était terriblement gênée de les voir se faire du mal... et elle était trop sincère envers elle-même pour exclure ce qui avait failli se produire quelques instants plus tôt. En plus des autres sentiments complexes qu'elle éprouvait à leur égard s'ajouterait maintenant un sentiment de culpabilité. Et pourtant, elle les aimait réellement.

– Non, merci. Et il ne devrait pas boire non plus. Pourquoi lui as-tu donné de l'alcool?

Liz se retint de répondre. Elle s'assit dans un fauteuil. Doug était toujours vautré sur le canapé. Merry se tenait debout devant lui, telle une furie, son manteau de fourrure sur le dos.

– Elle a aussi sacrifié un poulet, annonça Doug à Merry.

Il feignait d'être plus soûl qu'il ne l'était pour ennuyer sa femme.

– Tu es ivre, dit Merry qui mordit à l'hameçon.

– Après un examen soigneux des intestins du poulet, elle a prédit que nous aurions tous des jours heureux. Un climat parfait. N'est-ce pas formidable?

Merry lui tourna le dos et ôta son lourd manteau noir qui l'enveloppait des pieds à la tête. Elle se dirigea vers la chambre à coucher en le traînant par terre derrière elle.

– Je vais le prendre, dit Liz qui se leva d'un bond.

Mais Merry entrait déjà dans la chambre en claquant la porte. Sans un regard pour Doug, Liz courut la rejoindre.

Merry venait de trouver l'interrupteur et allait allumer quand Liz entra. Elles regardèrent la minuscule chambre; mais Liz la vit avec les yeux de Merry : au premier plan, le vélo avec le vieux sweatshirt sur la selle et la tasse de café sale dans

le porte-bagages, puis les caisses en carton pleines de livres et de disques qui n'avaient trouvé place ailleurs, les vieux meubles qui juraient dans la salle de séjour et qu'elle avait posés là, des années auparavant. Liz ne s'était jamais rendu compte du désordre de la pièce jusqu'à ce jour et maintenant, c'était trop tard.

– J'ai pris des dopants et j'ai nettoyé à fond aujourd'hui, plaisanta-t-elle.

– Tu as fait tout ça aujourd'hui? demanda Merry avec un sourire.

Sa colère avait disparu : elle était réellement contente de retrouver Liz. Elle lança sa fourrure sur le lit qui n'avait pas été refait : Liz s'était contentée de rabattre les couvertures.

– Ce sont les dopants qui ont fait tout le boulot : j'ai juste surveillé.

Quelque chose, qui dépassait de l'édredon recouvrant les oreillers, attira l'attention de Merry :

– Hamburger? murmura-t-elle.

Elle attrapa le vieil ours en peluche par sa grosse patte marron et regarda Liz, debout, près de la porte ouverte. Un instant, Merry ressembla à l'étudiante d'autrefois – même regard vague et même innocence vulnérable – mais son visage redevint froid après un coup d'œil dans la salle de séjour.

Liz se retourna. Doug se tenait près de la porte d'entrée, son pardessus sur le dos.

– Bonne nuit, dit-il.

Il ouvrit la porte et sortit. La porte se referma doucement derrière lui.

Merry bondit, faillit se prendre les pieds dans le peignoir de bain de Liz qui traînait par terre, se cogna à la bicyclette et à Liz, traversa la salle de séjour et ouvrit la porte d'entrée.

Doug était sur le palier. Il parla d'une voix sobre et posée.

– Je retourne à l'hôtel.

– Pourquoi?

– J'ai un rendez-vous demain. Je veux rentrer et boire avant de dormir. Seul.

Liz l'entendit descendre les premières marches.

La voix de Merry s'éleva, perçante.

– Sais-tu que tu vas bientôt dormir sur un banc, si ça continue?

Liz la rejoignit et lui dit d'un ton pressant :

– Allons, Merry, viens.

Elle toucha le bras de son amie pour l'inciter à rentrer.

Merry retourna sa colère contre elle.

– J'aimerais que tu ne sois pas toujours prête à donner du scotch au " pauvre Doug " et à lui passer de la pommade, dit-elle d'une voix mordante.

– Le « pauvre Doug » aime qu'on lui passe de la pommade, cria-t-il de l'escalier.

Merry s'adressa à lui. Liz se demanda si ses voisins étaient chez eux. Le jugement sentencieux de Merry claqua dans la cage de l'escalier comme des lames de patins éraflant la glace.

– L'âme, dit-on, trouve son réconfort dans le spirituel et non dans les spiritueux.

– Seigneur! murmura Liz.

Merry lui dit froidement :

– Tu veux faire quelque chose?

– Merry, expliqua Liz patiemment, le décor peut

t'avoir décontenancée, mais nous ne sommes pas à l'hôpital Bellevue et je ne me sens pas responsable du taux d'éthylisme de mes invités.

– Tu n'imagines pas la situation depuis qu'on l'a renvoyé du labo parce qu'il buvait, dit Merry à voix haute.

Elle savait qu'il pouvait l'entendre.

– Balivernes! répondit-il. Je n'ai jamais bu au labo.

– Oh! grommela Merry.

– Je ne bois que pour accomplir mes devoirs conjugaux.

– Alors, tu ferais bien d'apporter une bouteille près du lit la prochaine fois, répliqua Merry du tac au tac.

C'est alors que Liz décida de prendre le contrôle des opérations. Elle se pencha et fit signe à Doug de remonter.

– Et si nous dînions? proposa-t-elle.

Doug lui sourit doucement et accepta. Il remonta péniblement.

– Il me fait des reproches! grognait Merry au moment où ils rentrèrent tous dans l'appartement. Il est évident qu'il me reproche ce qui, à mon éternelle surprise, lui manque à lui.

– Ce qui me manque, dit Doug, debout, son manteau sur le dos, ce sont certaines parties intimes de mon anatomie.

– Tu es répugnant!

– Et c'est là que je me fais des reproches, poursuivit Doug. Si je ne te les avais pas offertes, tu n'aurais jamais pu me les couper en rondelles.

Merry se tourna vers lui, pleine de colère, une lueur meurtrière dans le regard.

– Tu as vraiment de la chance que je n'aie rien pour te couper en rondelles.

Elle se jeta sur lui. Doug pâlit et son masque de désinvolture cynique disparut. Liz était terrorisée; il passa devant elle et entra dans la cuisine, en proie à une fureur qu'elle ne lui avait jamais connue. Merry et Liz restèrent immobiles un instant; elles l'entendirent ouvrir et refermer brutalement les tiroirs, toucher bruyamment à tout jusqu'à ce qu'il eût trouvé ce qu'il cherchait. Il revint vers elles. Il tenait le couteau de boucher en acier de Liz, celui qui lui faisait si peur quand elle s'en servait pour couper les tomates.

Doug s'approcha de Merry qui le regardait d'un air hostile. Le couteau étincela dans sa main. Il le lui tendit, le manche en avant :

– Prends-le! Prends-le! Nom de Dieu!

Malgré sa frayeur, Merry ne recula pas et garda les bras baissés. Doug l'obligea à lever une main, y plaça le manche du couteau et lui referma les doigts dessus.

Merry ouvrit la main dès que Doug la lâcha, le couteau tomba sur le tapis persan.

– Quelle stupidité, dit-elle d'un ton méprisant.

– C'est une scène tirée de l'un de tes livres, Merry Noel. Et ce n'est pas plus stupide que ta camelote.

Le visage de Doug avait repris ses couleurs; cet acte idiot et mélodramatique avait exorcisé sa rage. Il était redevenu lui-même, amer et triste.

Rien n'aurait pu blesser davantage Merry que ce qu'il venait de dire.

– Camelote! s'écria-t-elle.

– Camelote! répondit-il.

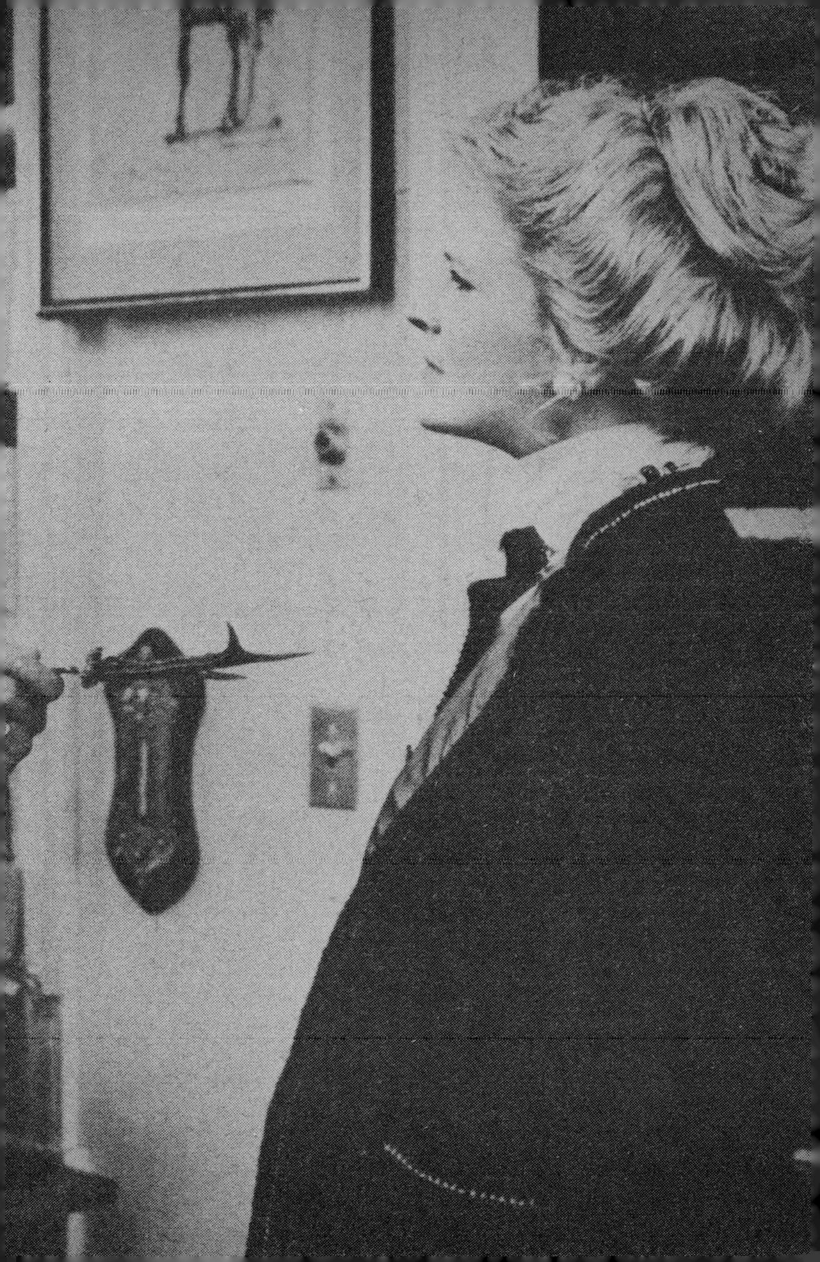

– Tu as bien dit camelote! répéta-t-elle sans pouvoir y croire.

– Oui, j'ai dit camelote!

– Une camelote qui rapporte! lui rappela Merry, furieuse.

– Tu as fichtrement raison. Entasse assez de camelote et tu en auras une pleine poubelle!

Merry devint folle de rage. Elle se pencha, ramassa le couteau, le prit par le manche, courut vers Doug et pointa la lame brillante sur sa poitrine. Doug ne bougea pas. Le gros couteau dangereux ne toucha pas le corps de Doug mais entama le revers de son manteau en poil de chameau. Merry fit entendre un très vilain bruit de gorge, elle était prête à tuer. Doug garda son calme; il la regardait et attendait. Elle leva à nouveau le couteau et le maintint en l'air à quelques centimètres du visage de Doug. Il ne bougea pas. Merry poussa un grognement plaintif, parut se demander si elle allait le tuer ou le laisser partir.

Doug sourit – un sourire minable et laid – puis se détourna, alla jusqu'à la porte, l'ouvrit et sortit. Pendant un moment, elles écoutèrent le bruit de ses pas résonner dans l'escalier puis s'éloigner.

Liz s'approcha de Merry et lui ôta le couteau des mains. Merry se tenait debout, comme paralysée; elle eut l'air soudain terriblement fragile et seule. Liz l'enlaça, mais Merry ne se détendit pas. Elle continuait à émettre ces bruits de gorge affreux qui se transformèrent peu à peu en petites plaintes. Liz l'embrassa maladroitement, lui tapota le dos, sans savoir que dire, elle-même en proie à ses propres émotions.

Elle sentit que ses yeux se remplissaient de

larmes inattendues, et une terrible sensation de brûlure envahit sa gorge. Liz ne pleurait jamais... Il y avait des années qu'elle ne l'avait fait... Brusquement, elle lâcha Merry et courut à la cuisine. La fumée s'échappait du four et cela sentait la viande âcre et brûlée. Liz jeta le couteau dans l'évier et ouvrit le four. D'épais nuages de fumée tourbillonnèrent et l'aveuglèrent. Elle sortit tout ce qui était noir et cramé et le déposa sur le dessus de la cuisinière. Elle agita les bras pour faire partir la fumée (ah! s'il y avait une fenêtre!), refoula ses larmes d'un battement de paupières et murmura " j'en ai marre ". La fumée lui fit mal à la gorge. Elle prit son verre, avala quelques gorgées et attendit que le liquide frais et la glace l'aient apaisée avant d'aller proposer à Merry de dîner à la petite pizzeria du coin.

Si Merry se mettait à bouder à cause de Doug, le dîner risquerait fort d'être pénible. Quant à elle-même, elle penserait à ce qui avait failli se produire, plus tard ou jamais. Cela les concernait elle et lui et non Merry, décida-t-elle, tandis qu'elle quittait la cuisine enfumée et rejoignait son amie.

Ce que l'on pouvait appeler – en étant très indulgent – de la musique emplit soudain la pièce. Merry s'était assise au vieux piano, le dos bien droit, les doigts arrondis et frappait les touches d'un air déterminé. Liz reconnut " Nola ", ce bon vieil air classique que tout pianiste débutant ne manquait jamais de massacrer. Merry jouait avec une émotion contrôlée, chaque note et chaque accord recevaient exactement le même traitement : elle tapait dur et fort.

Liz s'assit sur le petit fauteuil près du piano et écouta " Nola " en sirotant sa boisson.

– Camelote! marmonna Merry.

Cette épithète s'accordait parfaitement au rythme de marche qu'elle infligeait à cette malheureuse mélodie.

– Camelote! répéta-t-elle, et elle plaqua un accord sonore en *do* majeur.

Liz haussa les épaules comme pour dire " laisse tomber ", mais Merry continua à taper sur le piano. Quand on apprenait à jouer " Nola " à l'âge de dix ou douze ans, on le jouait du début à la fin sans pouvoir s'arrêter en cours de route.

– Camelote, je t'en foutrai! cria Merry.

La musique devint assourdissante. Liz vida son verre et alla le remplir.

Merry acheva " Nola " par un accord retentissant et resta assise, les mains croisées sur la poitrine, le dos très raide.

– Fantastique, dit Liz. Tu n'as pas oublié une note.

– La musique me calme. Je n'ai pas besoin d'alcool comme vous tous autour de moi. On dirait que je fais cet effet aux gens...

– Oh! allons, Merry. Rappelle-toi que je ne suis pas ton ennemie. Et Doug non plus... viens, on va dîner. Dehors, bien sûr. J'ai brûlé le poulet.

– Tu n'as jamais su cuisiner, commenta Merry en prenant son manteau de fourrure.

Elles s'installèrent à la table d'angle près de la fenêtre et restèrent là jusqu'à la clôture. Le veau était délicieux; elles vidèrent un carafon du bon chianti rouge de Guido, elle parlèrent, rirent et se lancèrent dans les souvenirs et les confidences comme elles l'avaient toujours fait. Leur amitié reposait sur des bases solides et si elles gardèrent deux ou trois choses pour elles, ce fut, uniquement, parce qu'elles étaient devenues plus avisées.

– Tu crois qu'il va me quitter pour de bon? demanda Merry en mangeant ses pâtes du bout des lèvres.

– Je ne sais pas. Vous avez eu une vraie scène, tous les deux. Ça vous arrive souvent?

– Il ne me quittera pas, décida Merry. Et s'il le faisait, je lui pardonnerais. Je comprends qu'il soit tendu. Il ne supporte pas mon succès. Les hommes ne tolèrent pas que leurs épouses délaissent leurs fourneaux pour devenir des personnes à part entière. Mais je comprends cela et je lui pardonnerai s'il a du mal à l'accepter.

– Le mâle a un ego très fragile et délicat, reconnut Liz d'un ton légèrement sardonique.

– J'essaye de le comprendre. Pourquoi ne veut-il pas en faire autant? Il a besoin qu'on lui remonte le moral.

– Tu crois qu'il ne s'agit que de cela? Je veux dire, de ton succès? Tu as changé, toi aussi, Merry. C'est normal, tu es célèbre. J'imagine que cela change les gens.

– Mais, au fond de moi-même, je suis la même et je l'aime toujours. Il doit le savoir.

– Peut-être agis-tu différemment? suggéra Liz.

Merry se pencha en avant.

– Il ne respecte pas mon travail, lui confia-t-elle. Il respecte le travail des autres... Comme tout le monde, il est plein de respect pour ton travail. Mais il pense que mes livres ne sont pas... sérieux.

– Eh bien, Merry... Ne mets pas tout sur le dos de Doug.

Mal à l'aise, Liz préféra changer de sujet. Elle orienta la conversation sur Debby. Aussitôt, Merry s'épancha avec effusion et délices. Elle décrivit ses expériences et ses problèmes de mère soucieuse de protéger sa fille de quatorze ans – jolie, intelligente et vive – des tentations de la Californie.

Elles se quittèrent après minuit et décidèrent de se retrouver – tous les trois – pour aller dîner le lendemain soir dans les beaux quartiers de New York. Liz remonta chez elle, nettoya la cuisine, jeta les restes calcinés du poulet et se mit au lit, épuisée. L'ours en peluche avait l'air esseulé, alors elle posa la main sur sa bonne vieille tête frisée et s'endormit ainsi, comme si elle se raccrochait à lui.

Doug lui téléphona à midi et lui fixa rendez-vous à Battery Park, sur le quai, près du voilier *Petrel*. Assis sur un banc, il observait le capitaine, Nicky Van Nes, qui surveillait le débarquement d'un groupe de touristes, gelés mais heureux, de retour de leur déjeuner-promenade. D'autres personnes faisaient la queue pour le départ suivant.

– Salut, Doug, dit Liz en surgissant derrière lui.

Il se leva d'un bond, lui prit les deux mains et se pencha sur elle. Elle tendit sa joue. Il l'embrassa. Puis ils restèrent sans bouger, brusquement intimidés.

– J'ai eu mon entrevue.

– C'est oui?

– Cela n'a pas marché.
– Oh Doug! je suis désolée, vraiment.
– Cela vaut peut-être mieux. Je vais m'installer à Houston. La NASA offre un poste qui semble me convenir parfaitement.
Ils entendirent les passagers rire, plaisanter et adresser remerciements et adieux à Nicky, et ils virent les touristes suivants monter à bord pour leur promenade jusqu'à la Statue de la Liberté. Le vent froid de novembre venu de la passe les fouetta, mais ils ne savaient toujours pas quoi se dire.
– Je vais aller vivre au Texas, annonça Doug, finalement, je suppose...
Il s'interrompit. Tous deux regardèrent le *Petrel* hisser ses voiles et quitter le port.
– C'est sérieux? Ton histoire avec Merry?
– Oui.
Liz fronça les sourcils. Elle libéra ses mains que Doug gardait serrées dans les siennes et les fourra dans les poches de son duffel-coat.
– Cela a duré quinze ans, Liz. Tu ne peux pas dire que ce n'était pas sérieux.
– Tu le lui as annoncé?
– Nous avons discuté et nous nous sommes engueulés la nuit dernière.
– Tu lui as appris que tu allais à Houston?
– Non. Veux-tu t'en charger?
Liz regarda l'eau agitée et le magnifique voilier qui louvoyait entre les pétroliers et le pont.
– C'est pour cela que tu m'as demandé de venir? interrogea-t-elle sans le regarder.
– Non.
Les yeux de Doug cherchaient les siens et elle

compris que, pour lui, le moment d'égarement de la veille allait maintenant trouver sa conclusion.

– Non, Doug, supplia-t-elle en évitant toujours de le regarder, je t'en prie, ne recommence pas... cette folie.

– Pourquoi ne me laisses-tu pas être ton ami?

Elle s'efforça de sourire pour alléger l'atmosphère.

– Tu es mon ami, Doug.

– Tu as besoin d'un ami, très proche.

Liz haussa les épaules.

– Merry et toi, vous êtes mes plus proches amis.

– Sais-tu comment j'envisage cette folie? demanda-t-il d'un ton un peu trop sérieux.

– Doug...

– Merry divorce...

Elle leva les yeux vers lui puis posa sa main sur la joue de Doug.

– Je t'en prie, arrête.

– ... tu oublies que tu es l'amie de Merry et tu m'épouses.

Il se rapprocha et posa ses doigts, incroyablement chauds, contre le visage de Liz. Elle tourna instinctivement la tête vers la chaleur et ses lèvres effleurèrent la main de Doug.

– Oh Doug! murmura-t-elle, que dis-tu là, tu me flanques vraiment la frousse.

Ils entendirent des cris et se retournèrent pour assister à une altercation entre le gardien du parc et le chauffeur d'une longue limousine noire. Le chauffeur avait franchi en voiture le portail, longé le quai où était ancré le *Petrel* et emprunté la voie privée uniquement réservée aux propriétaires de bateaux et aux livreurs. Pendant la dispute, la portière arrière de la limousine s'ouvrit et une femme vêtue d'un long manteau de vison noir s'élança vers Liz et Doug.

Le visage de ce dernier exprima la fureur et le sentiment d'avoir été trahi. Il enleva sa main du visage de Liz et, un bref instant, elle crut qu'il allait la frapper. Puis ses mains retombèrent mollement.

– Tu lui as dit que nous avions rendez-vous ici? demanda-t-il à Liz d'un ton incrédule.

Je devais le faire.

Merry courait vers eux, son manteau volait autour d'elle et ses bottes à hauts talons claquaient sur le chemin empierré.

– Pourquoi? demanda Doug. Pourquoi? pour l'amour du ciel!

Liz lui jeta un regard désolé. Il avait déjà presque fait demi-tour pour partir.

– Quinze ans. Ne devais-je pas lui en parler?

– Adieu, dit Doug.

Il lui lança un dernier regard attristé et partit en hâte le long du front de mer et à travers le parc. Merry, hors d'haleine, lui cria :

– Doug! Attends...

Liz sortit une main de sa poche et retint Merry par la manche pour l'empêcher de courir derrière lui.

– Il est parti, Merry.

Merry se tourna vers elle, l'air éperdu, à la fois effrayé et accusateur.

– Lui as-tu dit que je lui pardonnais? Le lui as-tu dit?

– Il part pour le Texas, dit Liz tristement.
– Le Texas! Mais tu ne lui as pas dit que je lui pardonnais tout?
– Il n'avait pas envie de parler. Il s'en va. Il est parti. Il renonce.
Elles le suivirent des yeux : il marchait à grandes enjambées, le col relevé pour se protéger du vent cinglant qui faisait moutonner les eaux du port. Il marchait comme un homme qui savait où il allait et non comme quelqu'un qui avait l'intention de revenir.
– Parti... répéta Merry. Il renonce à quoi? ajouta-t-elle, perplexe.
– Oh chérie! il a dit qu'il renonçait au mariage. Que vous en aviez parlé.
– Il est stupide, gémit Merry. Il a dit des choses stupides. Mais je suis prête à...
Liz, brusquement furieuse, secoua Merry pour la faire bouger.
– Vas-y, rattrape-le.
Merry hésita :
– A-t-il dit autre chose?
– Il a dit " adieu ".
La silhouette de Doug avait pratiquement disparu maintenant, derrière la courbe qui marquait la fin de l'île de Manhattan. Liz eut très froid. Elle frissonna et se dirigea vers un rocher légèrement en dehors du chemin. Elle s'assit et releva le col de son duffel-coat. Merry avait toujours les yeux fixés sur Doug.
– Adieu. C'est tout?
– Adieu.
Merry lança un regard noir en direction de Doug,

puis se détourna et rejoignit, en trébuchant sur ses talons ridicules, le rocher et Liz. Derrière elles, le chauffeur avait fini par se rendre aux arguments du gardien et repassait le portail avec la limousine. Merry, debout, fit face à Liz.

– Que dois-je faire?

Liz répondit franchement :

– Il va te manquer terriblement.

– Je ne veux pas! Je déteste être malheureuse, s'écria Merry d'un ton coléreux.

Elle hurla au vent, aux vagues et au parc désert que Doug venait de traverser :

– Tu vas me rendre malheureuse et je vais te haïr pour ça!

Elle répéta encore plus fort :

– Je vais te haïr, Doug! Je te hais!

Brusquement, elle s'effondra sur l'herbe, près de Liz, avec son manteau de fourrure et le reste. Elle hurla à la terre :

– Je hais le Texas!

Elle pleurait maintenant, les larmes coulaient le long de son maquillage impeccable et tombaient sur les poils doux de sa fourrure. Liz l'observait, peinée : Merry se berçait toute seule, elle sanglotait et gémissait sur elle-même :

– Oh Liz! c'était un mariage si réussi. Tout le monde le disait. Pas seulement les journaux. Nos amis. Tout le monde. Tu ne crois pas que nous avons été heureux? Et maintenant, que vont-ils dire? Que peuvent-ils dire? Encore des gens qui étaient heureux et qui ne le sont plus. C'est l'époque qui le veut. Oh Mon Dieu! quelle époque affreuse vivons-nous. Un autre foyer brisé. Je

n'ai jamais souhaité entrer dans les statistiques...

Elle leva les yeux vers Liz. Un peu de sa vieille combativité lui revenait.

– Refaire sa vie, s'écria-t-elle, n'est-ce pas ce que les femmes abandonnées doivent toujours faire? Je t'en foutrais! Je vais garder la même vie, il y manquera juste un pion. Un pion manquant!

Elle s'enveloppa dans son gros manteau et renifla :

– J'ai ma carrière et ma fille. Je t'ai toi aussi, mon amie. Oh Liz! tu resteras mon amie, n'est-ce pas? Bien sûr! Quelle question stupide. De vieilles amies. Comme toujours, hein?

– Bien sûr, la rassura Liz au bord des larmes. De vieilles amies.

Elle regarda au loin. Doug avait disparu. Le *Petrel* évoluait avec une grâce naturelle pour sortir de la passe dans un jaillissement d'écume glacée. Bien incliné sous le vent, sa voile gonflée, il donnait l'impression de voler. Liz crut entendre les voix des passagers entonner frénétiquement un chant d'adieu.

7

Lorsque Liz se réveilla un beau matin et se rendit compte qu'elle occupait le même appartement depuis exactement vingt ans, elle se plongea une semaine ou deux dans la contemplation morose de ce qu'avait été sa vie. Puis, elle se mit à lire les annonces immobilières du *Times*, loua une voiture le week-end pour aller visiter des maisons et un jour, elle trouva ce qu'elle voulait. La maison avait un toit de bardeaux gris, patinés, une énorme cheminée en pierre, une vraie cuisine, assez d'espace pour contenir tous ses livres et des fenêtres qui donnaient sur un petit jardin d'entretien facile, et sur les collines vertes et ondulées du Connecticut. Grâce aux ventes lentes mais régulières de ses deux premiers romans et à l'avance sur le troisième, elle put acheter la maison. Elle découvrit, à sa grande surprise, que vivre à la campagne – l'équivalent pour elle du " Moyen Age " – ne la gênait pas. Elle travaillait bien et New York n'était qu'à quelques heures de là. Sa réputation de bonne romancière lui avait valu quelques récompenses et elle était plus ou moins heureuse.

Par un après-midi d'hiver froid mais vivifiant, elle quitta son hôtel et se dirigea en hâte vers Madison Avenue. Comme toujours, elle se demanda pourquoi la foule des piétons encombrant les trottoirs ne se trouvait pas dans des bureaux ou ailleurs. Chaque fois qu'elle venait à New York, elle avait l'impression qu'il y avait davantage de monde, de saleté et de bruit. Comme d'habitude, son train n'était pas arrivé à l'heure et c'est hors d'haleine qu'elle emprunta la voie privée tortueuse : elle savait qu'elle était en retard.

Assis en demi-cercle en face de la cheminée du salon, les trois autres membres du comité l'attendaient pour commencer la réunion.

– Bonjour, dit-elle. Excusez-moi.

Elle ôta son manteau, son chapeau et son écharpe

et les jeta sur le fauteuil en cuir près de la porte.

– Liz est en retard, remarqua Martin Fornam, cordialement.

Il la regarda par-dessus ses lunettes, puis se tourna vers Sheilah Antilles qui arborait une mine renfrognée et dit en plaisantant :

– On devrait lui enlever un peu de son vote, qu'en pensez-vous?

Sheilah ne sembla pas trouver cela drôle. Elle approchait des soixante-dix ans, avait toujours travaillé dans l'édition et particulièrement au Comité du National Writer's Award. Elle prenait sa tâche très au sérieux et considérait manifestement Martin comme un parvenu et un bêcheur. De plus, Martin, auteur de best-sellers et radicalement vieux-jeu ne ressemblait pas au genre de personnes que Sheilah aurait choisies pour représenter cette auguste corporation.

– Excusez-moi tous, dit Liz en s'asseyant dans le dernier fauteuil, près du feu. J'avais oublié le temps que l'on mettait pour se déplacer en ville. D'où viennent donc tous ces gens? C'est à peine si l'on peut marcher.

– Comment vont les canards et les cochons? demanda Judy Heller.

Elle alluma une cigarette au mégot de la précédente qu'elle jeta dans le feu. Judy parlait du coin de la bouche, d'une part, parce qu'elle avait toujours une cigarette aux lèvres et d'autre part, pour se donner l'air viril. Liz l'aimait bien.

– J'ai bien un étang, mais il ne sert pas pour les canards.

– Que je sois damnée si j'habite un jour à la

campagne sans rien qui fasse “ meuh! ”, dit Judy en riant.

Martin se renversa dans son fauteuil et énonça du ton d'un ancien qui veut faire partager sa sagesse à un jeune :

– Les canards et les cochons ne font pas “ meuh! ”.

Judy haussa les épaules :

– Vous voyez jusqu'où va mon ignorance?

Sheilah ne trouva pas ça drôle.

– Si je peux revenir à ce que l'on appelle les choses sérieuses, commença-t-elle, et elle sortit quelques papiers de son porte-documents ouvert à ses pieds.

– Quel hôtel vous a-t-on attribué? demanda Martin à Liz, sans s'occuper de Sheilah.

– ... Le règlement du National Writer's Award, poursuivit Sheilah.

– L'Algonquin, répondit Liz à Martin.

– ... que je dois vous lire, termina Sheilah, et elle jeta un regard sévère à Martin, à Liz et, pour faire bonne mesure, à Judy.

Judy soupira et rejeta une bouffée de fumée bleue.

– Sheilah, nous savons que vous avez de bonnes intentions, mais vous n'allez pas nous lire ce règlement. Nous le connaissons.

– Je n'ai pas l'intention de vous ennuyer..., dit Sheilah.

– Alors, ne le faites pas.

Comme Martin et Liz la regardaient d'un air réprobateur, Judy s'excusa aussitôt.

– Pardonnez-moi.

– Nous avons jusqu'au 31 décembre pour annoncer le meilleur ouvrage américain de fiction, continua Sheilah sans se laisser décontenancer. Vous tous, en tant qu'anciens lauréats, vous devez...

Cette fois, ce fut elle qui s'interrompit; elle se pencha sur sa serviette bourrée et en sortit une autre liasse de papiers.

– Elle va le faire, chuchota Judy.

– Je voudrais poser une question, dit Liz.

Les autres la regardèrent :

– Nous allons étudier le cas du roman de Merry Blake : *Cuisine familiale.* Il a déjà reçu un accueil favorable auprès de la presse...

– Pouvez-vous croire qu'une femme puisse passer dix ans à confectionner des saucisses et qu'il en sorte brusquement un livre? s'exclama Martin en hôchant la tête.

Liz le coupa :

– Cette femme est l'une de mes amies.

– Ce n'est pas de votre faute si elle a écrit quelque chose de bon, remarqua Judy, pensivement.

Martin continuait à hocher la tête en signe d'étonnement.

– Même le vieux docteur Non l'a aimé.

– Qui? demanda Sheilah.

– Hennings, répondit Martin. Avez-vous lu son article dans le *Times* du dimanche?

– Non, qu'y avait-il dedans?

Liz s'efforça de changer de sujet.

– Ça suffit.

Mais ils ne lui prêtèrent pas attention.

– Il a écrit qu'elle s'était enfin décidée à écrire

avec son cœur et cela afin d'éviter d'obstruer son cerveau, dit Martin avec un large sourire dédaigneux.

– Très drôle, remarqua Judy sèchement.

Elle appréciait sans doute ce jugement du point de vue féministe. Elle avala profondément la fumée et regarda Martin en fronçant les sourcils.

– Je voulais seulement vous demander si je devais me retirer, dit Liz.

– Si quelqu'un doit se retirer, c'est moi, glissa Martin.

– Que voulez-vous dire, Martin? lui demanda Sheilah.

– Eh bien, vous savez tous qu'Anita Turner et moi...

– Et alors? interrogea Sheilah d'un ton coupant.

Elle ne s'occupait que de son travail et ne s'intéressait pas le moins du monde à la vie privée de Martin Fornam, mais tout ce qui touchait le Prix sacro-saint retenait immédiatement son attention.

– Mais, pour l'amour du ciel, elle ne parle que de moi dans son livre, dit Martin, de toute évidence vexé que le monde entier ne se fût pas aperçu qu'il avait servi de modèle au beau mâle fort en gueule, héros du dernier roman à succès de Turner.

Judy hennit doucement.

Martin se tourna vers elle. Il abaissa ses lunettes sur son nez pour la regarder de ses yeux las.

– Qu'est-ce que c'est censé signifier? lança-t-il d'un ton hargneux.

– Allons, Martin, soyez un grand garçon, plaisanta Judy.

– Soyez un grand garçon, vous-même, rétorqua-t-il.

Il regretta aussitôt ses paroles. Il remit ses lunettes en place et s'éclaircit la gorge. Judy plissa les yeux.

Liz s'empressa de relancer la conversation :

– Je voulais seulement vous mettre au courant. Ma vieille amie Merry Blake a loué un appartement à New York et elle a l'intention de mobiliser la ville entière pour remporter ce prix. Elle a obtenu que Jules Levy organise ce qu'elle appelle des " réceptions pour se former une opinion ".

– Mais il n'y a que nous trois qui puissions être impressionnés par des tactiques de ce genre, remarqua Judy. C'est nous qui décidons qui doit avoir le prix. En tenant compte de l'écriture et non des petits fours. Pas vrai?

– C'est l'exacte et froide vérité, approuva Liz.

– Juste, grommela Martin.

Sheilah commença à lire l'épaisse liasse de feuilles dactylographiées à un interligne, qui constituaient le règlement : « Quand le National Writer's Award a été créé, le but de la charte était... »

Les trois jurés abandonnèrent la partie, se renversèrent dans leurs fauteuils et fixèrent le feu, chacun plongé dans ses pensées, pendant que Sheilah accomplissait son devoir.

Lorsque Liz regagna son hôtel deux heures plus tard, elle alla directement à la réception. L'employé regarda dans sa case si elle avait des messages. Elle jeta un coup d'œil dans le hall en attendant. C'était l'heure du cocktail. Elle ne venait jamais ici sans se rappeler ce jour où elle s'était sentie si coupable de ne pas avoir rendu son manuscrit et où elle avait demandé à Jules, comme une grande faveur personnelle, de lire l'œuvre de Merry...

– Vous avez des tas de messages, dit l'employé. Les voici, mademoiselle Hamilton.

– Merci.

Elle feuilleta les petites notes de papier blanc.

– Merry, Merry, Merry... et Merry. C'est bien.

Comme elle se dirigeait vers l'ascenseur, l'employé lui demanda d'attendre et la rejoignit en hâte, un gros paquet à la main. Cela venait du Bureau du National Writer's Award. Des livres qu'elle devait lire et juger. Puis, l'employé de la réception lui tendit un autre paquet, manifestement, d'autres livres encore. Il empila les deux paquets sur les bras de Liz et elle se tourna vers l'ascenseur qui était là.

– Quelqu'un vous attend, dit l'employé.

– Qui?

– Euh...

L'employé fouilla dans sa mémoire, retrouva le nom et dit, tout content :

– Un Monsieur Adams.

– Excusez-moi, qui avez-vous dit?

L'employé revint à son bureau. Liz le suivit et attendit qu'il eût vérifié dans son registre.

– Christopher Adams, lut-il à voix haute.

– Qui est-ce?

– Il est ici. Près de la colonne.

Liz regarda dans cette direction. Un homme d'affaires bien habillé se trouvait près de l'entrée de la salle rose; il tenait à deux mains un porte-documents. Il avait l'air d'attendre quelqu'un, examinait tour à tour le hall bondé de gens venus prendre un cocktail, la réception et la petite allée menant à la porte d'entrée. Elle alla vers lui.

– Monsieur Adams? demanda-t-elle.

Il la regarda, sourit, puis sembla embarrassé.

– Non, je suis désolé.

– N'êtes-vous pas Christopher Adams? insista-t-elle, étonnée.

– Non, dit l'homme en secouant la tête.

– C'est moi, prononça une voix.

Liz et l'homme d'affaires regardèrent, surpris, le jeune homme dégingandé, à l'allure bizarre qui s'extraya d'un profond fauteuil en chintz et se dressa lentement devant eux. Sa petite amie étudiante devait sûrement le trouver séduisant, pensa Liz, mais il détonnait plutôt dans le hall de l'Algonquin, en anorak, jean usé et rapiécé et chaussures de tennis. Il avait les cheveux courts. Il tendit la main à Liz.

Elle jongla avec ses paquets pour lui serrer la main.

– Chris Adams, dit le garçon.

– Liz Hamilton.

L'homme d'affaires ne bougea pas. Ils restèrent tous les trois, debout. Le jeune homme se tourna pour prendre un magnétophone à cassettes posé sur le fauteuil où il s'était assis. Il le mit en bandoulière. Liz l'observait avec une curiosité croissante.

Le garçon se redressa et lui fit face. Il était très grand.

– Vous voulez qu'on fasse ça ici ou en haut dans votre chambre?

Liz était consciente de la stupéfaction retenue de l'autre homme qui ne les quittait toujours pas. Il était tout oreilles. Manifestement, il n'habitait pas New York.

– Faire quoi? demanda-t-elle à Chris Adams.

Le visage du jeune homme se voila un instant.

– Vous avez oublié notre rendez-vous?

Elle réfléchit :

– Oui, j'ai oublié.

Les paquets de livres qu'elle portait commençaient à peser. Elle s'impatienta. Qui était ce type et que voulait-il?

– C'est bien, dit-il cordialement.

– C'est mieux que bien, répondit-elle brièvement, c'est formidable. Heureuse de vous connaître.

Elle se détourna et se dirigea vers l'ascenseur. Comme elle passait devant la réception, l'employé lui demanda :

– Voulez-vous que le groom vous porte vos paquets, mademoiselle Hamilton?

– Je vais les prendre, dit le jeune homme, derrière elle.

Liz lui demanda d'un ton grincheux :

– C'est le Comité du Prix qui vous envoie?

– Je suis de *Stone.*

– De quoi?

– De *Rolling Stone.* Je dois vous interviewer.

Liz le dévisagea, sa mémoire commençait à lui revenir.

– Chris, dit-elle lentement, Chris Adams, de *Rolling Stone*. Mon Dieu! oui. Ecoutez. Je suis désolée, mais impossible de faire ça maintenant. J'ai... regardez... Elle retint ses paquets en équilibre. Je dois lire tous ces livres.

– Je vais vous les porter, dit-il.

Il tendit la main et prit les paquets, aisément, sous un seul bras. Liz haussa les épaules et entra dans l'ascenseur.

Elle remarqua que les autres le regardaient, mais il ne se départit pas de son air sérieux. Il avait l'air bizarre mais sympathique. Les nouveaux journalistes, se dit-elle. Elle se demanda s'il avait jamais entendu parler de Proust, puis elle se reprocha silencieusement son snobisme. Ils arrivèrent à son étage et sortirent.

Une fois dans sa chambre, elle décrocha aussitôt le téléphone. Chris Adams enleva du canapé quelques livres, un pull et le vieil ours en peluche pour se faire de la place. Il s'assit et posa le magnétophone sur la table devant lui.

– Allô! passez-moi le service des chambres, dit Liz au téléphone, puis elle s'adressa à Chris :

– Ne le mettez pas encore en marche.

Il hocha la tête.

– Que voulez-vous boire?

– Je ne bois pas.

Une nouvelle race de journalistes, en vérité.

– Peut-être une boisson non alcoolisée? proposa-t-elle.

– Non.

– Allô! oui, ici la chambre 418. Je voudrais un scotch et de l'eau. Un double, s'il vous plaît. Merci.

Elle raccrocha et le regarda.

– Quelqu'un a laissé de “ l'herbe ” ici, si vous préférez.

– Non.

Elle l'examina, satisfaite de ce qu'elle vit. Un athlète, une vie saine, peut-être s'entraînait-il à un sport comme le basket?

– Je ne sais pas, réfléchit-elle à voix haute, quand on m'a dit qu'on m'envoyait quelqu'un de *Rolling Stone*, je pense que je m'attendais à voir un blanc bec vêtu d'un costume en satin avec deux cuillères à Coca-Cola qui sortaient de ses narines.

Il ne réagit pas, mais se contenta de montrer le magnétophone.

– Si vous voulez, je peux ne pas l'utlliser, dit-il.

– Mais je...

Elle se sentait mal à l'aise, elle ne savait pas comment s'adresser à lui :

– Combien de temps cela doit-il prendre?

– Cela dépend de vous. Si vous ne voulez pas parler maintenant, vous n'avez qu'à m'appeler plus tard. Je suis à l'hôtel Chelsea.

– Que voulez-vous dire par « cela dépend de moi »... je veux dire... vous autres... quel âge avez-vous... si je peux...

– Vingt-deux ans.

– Vous en paraissez quinze.

– Je sais.

C'était ridicule. Il gardait parfaitement son sang-froid et c'était elle qui était gênée. Cela n'aurait-il pas dû être plutôt le contraire?

– Je ne comprends le pourquoi de cette interview, dit-elle.

– Le pourquoi?

– Pourquoi *Stone*? Pourquoi moi pour *Stone*?

– C'est moi qui en ai eu l'idée.

– Hein?
– Oui, oui.
Elle fit les cent pas dans la chambre, puis s'aperçut qu'elle essayait de combler un silence dans lequel il se sentait à l'aise. Elle commença à être exaspérée : n'était-il pas censé poser les questions?
– Peut-être pourriez-vous rompre la barrière du langage et me dire ce qu'il en est, proposa-t-elle.
– Parce qu'il y a une barrière?
– J'ai toujours pensé qu'il s'agissait d'une plaisanterie, vous savez, à propos de votre journal... les déclarations de gens qui ne savent pas parler, écrites par des gens qui ne savent pas écrire, pour des gens qui ne savent pas lire, dit-elle méchamment.
Pour la première fois, Chris sourit.
– J'ai utilisé ça.
– C'est vrai?
– Dans l'une de mes interviews.
Il avait un sourire agréable.
– Eh bien, vous voyez.
Elle voulait dire que, peut-être ils avaient quelques points communs, après tout.
Chris leva les yeux vers elle et lui fit signe de s'asseoir. Ce qu'elle fit sans réfléchir. Elle prit place en face de lui et écouta. Pendant qu'il parlait, le visage de Liz marqua un étonnement total qui se transforma peu à peu en respect.
– Après votre second roman, j'ai eu l'idée d'écrire quelque chose sur vous. Vous étiez celle qui convenait le mieux. Au journal, ils voulaient une femme qui s'occupe d'art, et il y en avait de plus connues

que vous, mais c'était vous que je voulais. Vous montrez une certaine colère politique, mais vous savez conserver votre sang-froid. Particulièrement, dans vos récits parus dans les revues. Vos œuvres de fiction, elles, contiennent de la passion, mais à l'intérieur de paramètres de... bon goût. Ou peut-être est-ce de l'art et non du goût. Vous allez me le dire. Je m'intéresse à vous beaucoup plus qu'à tout autre femme plus en vue.

Liz le dévisagea. Elle se renversa sur son siège.

– Hum, si vous le présentez ainsi, dit-elle en montrant le magnétophone, peut-être pouvons-nous commencer...

Mais elle fut interrompue par un coup frappé à la porte.

– Non, attendez une minute. On nous apporte le scotch.

Elle ouvrit la porte. Ce n'était pas le groom, mais une jolie jeune femme : Debby Blake.

Elle embrassa Liz sur la joue.

– Oh Debby! entre donc.

Debby était devenue une jeune fille élancée et séduisante. Même Liz put voir que sa filleule l'avait prise comme modèle. Sur ses longs cheveux, plus foncés que ceux de sa mère, elle avait crânement posé un coûteux chapeau de cow-boy; elle portait un tailleur en tweed, un gros pull-over et des bottes qui frôlaient le bas de sa jupe. Elle n'était pas maquillée et n'avait pour tout bijou que plusieurs anneaux en or aux doigts. Debby débordait d'assurance. Elle entra et vit Chris assis sur le canapé.

– Salut, dit-elle d'un ton glacial.

– Salut.

– Ma nièce préférée. Enfin, pas exactement ma nièce. La fille de mon amie. Elle s'appelle Debby. Chris de *Rolling Stone*.

– Salut, répéta Debby en écoutant à peine les présentations. M'man t'a appelée?

– Quatre fois.

– Qu'est-ce qu'elle a dit?

– Je l'ignore. Je sais seulement qu'elle a appelé.

Debby enleva quelques livres et le manteau de Liz du dernier fauteuil libre et s'assit.

– Je peux te dire d'ores et déjà qu'elle s'oppose à ce que je m'installe ici, annonça-t-elle.

– Vraiment? Eh bien, moi aussi. C'est juste suffisant pour moi. Ce lit peut te sembler grand, mais les livres et moi prenons toute la place, crois-moi et, regarde, le canapé est trop petit...

– Je ne vais pas réellement m'installer chez toi, expliqua Debby... je veux seulement quitter ma mère et rester chez Ginger. Elle déteste Ginger.

– Qui est-ce?

Pendant cette conversation, Chris Adams, confortablement assis, ne se manifestait pas; il ne semblait ni vraiment intéressé ni le moins du monde impatient.

– Ginger Trinidad, soupira Debby. C'est ce formidable poète portoricain.

Elle se tourna vers Chris.

– Tu dois le connaître.

Chris confirma d'un signe de tête.

Debby poursuivit la description de son amoureux.

– Il a commencé à écrire des poèmes dans les Tombs, tu sais, la prison de New York...

– Que faisait-il là-bas? s'enquit Liz prudemment; elle espérait que cela n'avait pas l'air d'un jugement.

– Je ne sais pas, on en a parlé dans *Time*, dit Debby en haussant les épaules. Il a volé de l'alcool dans des magasins, mais c'était pour un motif politique.

– En dehors de ces quelques détails sans importance, qu'est-ce que ta mère lui reproche?

– Nous couchons ensemble, voilà tout. Elle s'est bizarrement mise dans la tête que je devais garder ma virginité pour un astronaute ou quelqu'un du même genre.

Quand elle entendit frapper à la porte, Liz se dit qu'elle avait évité de tomber dans le gouffre vertigineux qui séparait les générations. Elle bondit sur ses pieds, reconnaissante.

– Le scotch, murmura-t-elle, et elle ouvrit la porte.

C'était Merry, une vraie couverture de *Vogue* : manteau de zibeline claire et robe en crêpe de Chine simple, mais extrêmement coûteuse. Elle passa devant Liz et dit :

– Tu ne réponds jamais au téléphone?

– J'ai été trop occupée à ouvrir la porte, grommela Liz, et elle suivit Merry dans la chambre.

Elle montra du geste le garçon assis sur le canapé :

– Chris Adams.

– Comment allez-vous? dit Merry en lui jetant à peine un coup d'œil.

Elle s'arrêta devant sa fille :

– A ce que je vois, tu es ici.

– Il est journaliste, insista Liz.

Merry cessa de fixer Debby et gratifia Chris de son merveilleux sourire.

– Comme c'est intéressant. Vous écrivez dans quel journal?

– *Rolling Stone.*

– Oh! répondit Merry dont le sourire s'éteignit. J'essayais d'avoir des nouvelles sur ce qui s'était passé aujourd'hui.

– Je devine que tu veux parler de la réunion du National Writer's Award.

Merry montra la pièce entière comme si elle s'adressait à un auditoire de millions de personnes invisibles :

– Elle devine que je veux parler...

– Merry, tu sais que je ne peux en parler, répondit Liz, gênée.

– Qu'ont-ils dit? insista Merry.

– Tout le monde aime ton livre. Ne m'en demande pas davantage.

– Beaucoup?

– Oh Jésus! grogna Liz.

On frappa encore à la porte.

– Pourvu que ce soit le scotch, implora Liz, sans espoir.

Le jeune homme au teint cireux qui se trouvait sur le palier était très maigre; une casquette de base-ball, outrageusement grande, descendait jusqu'à ses oreilles et cachait presque entièrement une moustache peu fournie. Il portait une espèce de longue capote, datant du général Grant, qui laissait à peine voir le bas d'un pantalon de treillis et des chaussures de tennis.

– Debby est là? demanda-t-il avec un accent espagnol prononcé.

– Vous êtes sûrement Ginger, devina Liz.

– C'est vous, *le* mère?

Liz ouvrit la porte plus grand et lui fit signe d'entrer.

– Non, *le* mère est là, je suis *le* tante. Entrez.

Ginger enleva sa casquette et entra. Ses cheveux fins étaient nattés et retenus par un élastique.

Debby se précipita pour l'embrasser.

– Salut, chérie. Tu es prête?

– Oui, répondit Debby aussitôt.

Merry se tenait encore au milieu de la pièce, splendide comme un dragon dans sa soie rouge et sa fourrure. Quand elle ouvrit la bouche, tout le monde l'écouta attentivement.

– Juste un moment... jeune fille.

Elle se dirigea vers eux.

– Hé, m'dame, dit Ginger apparemment pas intimidé, j'sais qu'vous n'm'aimez pas, mais...

– Je ne vous aime pas? dit Merry d'un ton glacial. Je n'ai aucune raison de vous détester. Simplement, j'aime beaucoup ma fille, trop peut-être, mais c'est ma fille.

– Je sais que les Portoricains n'vous bottent pas trop..., commença Ginger, l'air plutôt aimable, mais elle l'interrompit à nouveau et prit son accent sudiste le plus sirupeux et le plus traînant.

– Cela n'a rien à voir avec les Portoricains, mon cher, vous pourriez avoir la peau plus blanche que des fleurs de pommier...

Liz jeta un coup d'œil à Chris :

– Vous n'enregistrez pas au moins?

Il secoua la tête en signe de dénégation.

– ... mais aussi longtemps que ma fille me manifestera juste assez de respect pour tenir compte de mon avis, je préfère qu'elle ne parcoure pas les rues de cette ville dangereuse en compagnie d'un criminel.

– Terrible! commenta Ginger.

– Laisse tomber, l'exhorta Debby et elle prit son bras pour l'entraîner vers la porte.

– Debby!

Elle foudroya sa mère du regard et sortit avec Ginger qui, en guise de salut, souleva son énorme casquette de base-ball.

– Très content d'avoir fait votre connaissance, dit-il poliment.

Merry se retourna contre Liz :

– C'est toi, chère tante Liz, que ma fille a choisi comme modèle... dit-elle.

– Merry, j'ai commandé un double scotch. Tu pourras en prendre la moitié. Economise ta salive jusque-là.

– Tu estimes sans doute que son aventure avec un voleur de voitures est excitante...

– Il a volé une voiture?

– Il s'adonne à ce genre d'exercice.

– Il pourrait peut-être m'avoir une Mercedes, commenta Liz.

Elle s'assit. Merry se mit à aller et venir dans la chambre, enjambant les objets qui se trouvaient sur son passage.

– Je suis sûre que Debby se tordrait de rire devant ton humour cynique.

– Merry, ça suffit, je t'en prie. Je fais attendre ce garçon...

– Ça ne me gêne pas, dit Chris.
– Moi, oui, rétorqua Liz.
– Je m'en vais. Dis-moi seulement une chose.
Merry s'arrêta en face de Liz. Même son parfum était raffiné.
– Okay! quelle chose?
– Suis-je en train de perdre mon temps et mon argent en restant ici ou ai-je une chance de gagner le National Writer's Award?
Liz secoua la tête. L'énergie et la détermination de Merry la surprenaient toujours : cela tenait probablement à son ego.
– Eh bien, répondit Liz, c'est oui et non.
– C'est tout pour l'instant?
– C'est tout, affirma Liz.
Merry se dirigea vers la porte, résignée mais malheureuse.
– N'oublie pas le dîner chez Jules Levy, vendredi, rappela-t-elle à Liz.
– Oh Mon Dieu! je ne peux pas. Il me faudra au moins tout le week-end pour lire ce tas de livres.
– D'accord. Il y aura un autre dîner, mardi soir. Chez Jules.
– Je ferai mon possible.
– Je t'en prie, dit Merry tendrement. Et trouve quelqu'un de sympathique à amener...
Elle sortit après avoir lancé à Chris un regard qui signifiait qu'il appartenait à cette catégorie.

Liz fixa le magnétophone posé sur la table entre le jeune homme et elle.
– Pensez-vous qu'on puisse remettre cela à plus tard?

– Savez-vous ce dont vous avez besoin?

Elle lui jeta un coup d'œil. Ces gamins pensent connaître toutes les réponses. Elle commençait à perdre patience, subitement.

– Savez-vous ce dont j'ai besoin? cria-t-elle.

– Vous avez besoin de vous détendre.

– Que voulez-vous dire?

– Par se détendre? Se détendre signifie... se détendre.

Les yeux de Liz se plissèrent.

– Vous voulez dire que j'ai besoin de quelqu'un qui me détende?

Il détourna le regard sans répondre.

– Vous pensez qu'il faut que quelqu'un m'aide à me détendre? répéta-t-elle en colère.

– Je n'ai nommé personne, souligna-t-il.

– Oh! vous alliez le faire?

– Faire quoi? demanda-t-il d'un ton ingénu.

Liz se leva.

– Les hommes ont parfois de ces arrogances. Peut-être ne vous en êtes-vous pas encore aperçu, car vous n'êtes pas encore un homme.

– Ça va?

– Ai-je l'air d'aller?

– Tout ce que je voulais dire, c'était qu'il vous fallait du repos. Si vous voulez vous reposer avec quelqu'un, cela dépend de vous.

– Ecoutez, mon petit, hurla-t-elle, si j'ai besoin de mouvement dans mon lit, je n'ai qu'à prendre une chambre dans un motel et mettre une pièce dans le vibromasseur du lit.

Chris se leva, ramassa son magnétophone qu'il suspendit à son épaule.

– Je suis à l'hôtel Chelsea. Prévenez-moi quand vous serez prête.

– Je me suis trompée. Les jeunes gens sont les plus arrogants et leur arrogance sexuelle les porte à croire qu'on va leur tomber dans les bras.

Elle ignorait pourquoi elle réagissait ainsi.

– C'est vrai, dit-il doucement.

Il s'approcha du fauteuil pour prendre son manteau.

– Branchez votre appareil, j'ai quelque chose à dire. Cette attirance physique envers les jeunes qui tourne de nos jours à l'obsession est, à mon avis, obscène.

Chris approuva d'un signe de tête et se dirigea vers la porte.

– C'est comme si on mangeait des melons trop verts, ajouta-t-elle.

Il ouvrit la porte, sortit et la referma très soigneusement.

Elle hésita entre pleurer ou ficher le camp de sa chambre. Elle saisit son manteau.

8

Le garçon d'étage finit par arriver sans se presser. Liz le croisa alors qu'elle attendait l'ascenseur. Il se dirigeait vers sa chambre d'un pas dansant et apportait sur un plateau un grand verre avec des glaçons et deux petits verres remplis d'un liquide ambré. Elle arrêta le garçon, signa le reçu, versa le contenu des deux petits verres dans le grand et avala son whisky en deux gorgées, d'une manière fort peu féminine. Puis elle prit l'ascenseur.

Elle ne put supporter l'ambiance du hall. Personne n'était seul. Toujours les mêmes sornettes débitées dans le brouhaha : débuts d'idylles, ruptures, affaires en voie d'être traitées, service demandé à un éditeur en faveur d'un ami... Elle sortit et se mêla à la foule des piétons sur la 5e Avenue. L'air piquant la revigora et elle se laissa contaminer par les gens qui marchaient vite; elle s'aperçut qu'elle hâtait le pas comme eux et attendait impatiemment aux feux pour pouvoir continuer son chemin.

Sauf qu'elle ne savait pas où aller. Elle aurait bien téléphoné à des amis qui auraient été enchantés de la voir; elle s'était promis lors de son séjour à New York de visiter un musée, de se rendre au concert ou au théâtre, d'aller dans les magasins, au café ou au restaurant... mais tout cela faisait partie de la vie de Liz Hamilton et en ce moment elle souhaitait désespérément être... qui? Peut-être, une anonyme. Remonter la 5e Avenue, attendre le feu vert pour traverser en compagnie de cinquante autres personnes, tout aussi anonymes. Se faire bousculer, accidentellement, par un jeune garçon blond au visage d'un préraphaélite. Il était vêtu d'un blouson d'aviateur et d'un Levi's usé avec art et tenait à la main un petit sac en papier de chez CARTIER.

Anonymement, elle admira le joli visage et le corps bien musclé de ce garçon. Le feu passa au vert et elle avança avec les autres.

Le garçon marchait devant elle, son absurde petit paquet à la main, prêt à être englouti dans la foule.

Il se tourna alors, hésita, et jeta un coup d'œil derrière lui et surprit le regard de Liz. Elle détourna la tête mais lui, apparemment encouragé par cet échange d'une fraction de seconde avec quelqu'un d'autre, même anonyme, lui sourit, montra son paquet et lui demanda :

– Pouvez-vous me dire où se trouve CARTIER?

– Bien sûr, répondit Liz qui, comme tout bon New-Yorkais, prit le temps, malgré son emploi du temps chargé d'aider cet étranger à la ville :

– C'est un peu plus loin, de ce côté du trottoir, à deux pâtés de maisons d'ici – et elle montra l'endroit du doigt.

– Près de ces drapeaux? interrogea-t-il.

Il regarda dans la direction qu'elle lui indiquait et lui sourit. Liz fit un signe de tête et reprit sa promenade, plus lentement. Le garçon aux cheveux dorés marcha à ses côtés et dit qu'il espérait ne pas la gêner. Si elle allait par là, pourrait-elle lui signaler le magasin, lorsqu'ils passeraient devant, parce qu'il était complètement perdu quand il venait à New York? Elle dit que cela ne la gênait pas du tout.

– Je dois rendre cet objet, un cadeau, vous comprenez? Cela ne me va pas, lui confia-t-il gaiement. C'était censé être une gourmette, mais j'aurais pu en faire un collier.

Elle lui jeta un regard en biais et il fit la grimace pour marquer qu'il plaisantait.

– Un cadeau de votre mère? demanda Liz, pas vraiment intéressée.

Le garçon éclata de rire. Il avait un formidable rire sain et des dents blanches.

– Ma mère vit à Redlands, en Californie.

Cela parut l'amuser et Liz sourit également.
Ils s'arrêtèrent devant CARTIER.
– Merci beaucoup, dit-il.
Liz secoua la tête.
– Le rayon bijouterie est au premier étage.
Il acquiesça. Il souriait toujours, mais une ombre brève passa sur son visage et lui donna comme un air de petit-garçon-perdu. Liz poussa la porte et entra avec lui.
La vendeuse, vêtue de l'inévitable robe de crêpe noir, sortit la gourmette en argent de sa boîte et la posa sur la vitre du comptoir. Elle regarda le garçon, puis Liz. Elle fouilla dans le sac, ramena un ticket chiffonné, le défroissa d'un air dégoûté et le lut. Elle jeta un coup d'œil à Liz.
– Etes-vous madame Collins? demanda-t-elle sans sourire.
– Non.
– De la 74e Rue? insista la femme.
– Non, répondit Liz.
Le regard de la vendeuse alla de Liz au garçon, puis revint se poser sur Liz; ensuite, elle sortit un long formulaire imprimé et commença à le remplir de pattes de mouche. Liz et le garçon se regardèrent et échangèrent un sourire.

Elle lui fit traverser le hall de l'hôtel Algonquin tout en bavardant nerveusement :
– Autrefois, se rencontraient ici presque tous les personnages importants de la littérature. Dans ce restaurant se déroulait un déjeuner hebdomadaire, appelé la Table Ronde, auquel participaient Robert Benchley, George Kaufman et... Edna Ferber...

Elle pouvait voir que cela ne signifiait absolument rien pour lui, mais il hochait la tête et regardait bien pour montrer que c'était vraiment un gentil garçon.

Elle s'arrêta devant la porte de l'ascenseur et se tourna vers lui :

– Merci, Jim, de m'avoir raccompagnée jusqu'ici.

Il resta là, en face d'elle, sourit d'un air ingénu et chaleureux, sans faire mine de la quitter.

– Vous souriez beaucoup, dit-elle.

Avant qu'il eût pu réagir, l'ascenseur était là et, après une seconde d'hésitation, elle entra. Lorsqu'elle se retourna, il n'avait pas bougé; toujours souriant, il la regardait et attendait qu'elle le regardât, et quand elle se décida à le faire, il se précipita et la rejoignit dans l'ascenseur juste avant que la porte ne se fût refermée.

Il avait un corps jeune, ferme, fier et doré, aussi beau que son visage.

– Quel âge as-tu? chuchota-t-elle à un moment, dans la tendre quiétude qui suivit l'exubérante et insatiable exploration de leurs corps.

– Dix-huit ans.

– Oh Mon Dieu! dit-elle.

Mais il se tourna vers elle et plus rien ne compta; plus rien si ce n'est cette émotion merveilleuse qui les submergea encore et encore. A la tombée de la nuit, quand la pièce s'assombrit et ne fut plus éclairée que par le néon de la rue qui les inonda de pourpre et de blanc, la reproduction de Van Gogh accrochée au-dessus du lit tomba.

Il s'en alla vers minuit.

Elle appuya fortement sur la touche " enregistrement " du magnétophone et se pencha sur le micro incorporé :

– Je suis prête à concéder que les jeunes ne sont pas très arrogants sexuellement, même si – et c'est important – j'ai été récemment amenée à croire qu'ils avaient sans doute de quoi l'être.

Elle regarda Chris Adams par-dessus la table. Il engouffrait de pleines cuillères de gelée sans cesser de l'écouter très attentivement.

Ils se trouvaient dans la dernière cafétéria " Automat " ouverte et il était 1 heure du matin. Elle lui avait téléphoné environ une heure plus tôt; le fait de l'appeler si tard n'avait pas semblé le gêner et, maintenant, ils étaient assis là. Elle poursuivit :

– ... surtout à cause de leur endurance et de leur corps.

Elle réfléchit une minute sans arrêter l'enregistrement et se remit à parler :

– Ma vieille amie, Bessie Smith, dont les disques m'ont tenu compagnie plus d'un après-midi à Paris, disait qu'elle aimait beaucoup quand son père l'emmenait faire un tour en voiture...

Elle se lança dans une jolie et harmonieuse imitation de Bessie et chantonna l'un de ses blues : " *... what I like about you, you never stall...* "

Puis, elle se pencha vers Chris et lui demanda :

– Et vous, mon petit?

La cuillère de gelée qu'il allait mettre dans sa bouche resta en l'air pendant qu'il analysait la question. Il répondit sans ambages :

– Je n'ai jamais fait ça avec les filles de mon âge.

– Oh vraiment? J'ai envie de faire de vous le héros de mon prochain livre. Cela s'appellerait *Corps d'adolescent.* J'aimerais savoir pourquoi pas avec les filles de votre âge?

– Elles s'occupent tout le temps de leur propre orgasme, répondit-il d'un ton uni, la cuillère de gelée brillante toujours suspendue.

– Et de quoi devraient-elles donc s'occuper? De votre orgasme.

– Du nôtre, dit-il, et il avala le tout.

Il retourna la cuillère et la lécha comme un gamin.

– On continue ça ailleurs, proposa-t-il.

Elle acquiesça; il arrêta le magnétophone, le prit et alla payer. Elle le suivit dehors et ils regagnèrent l'hôtel de Liz par les rues désertes.

L'intimité particulière de la ville endormie, le bruit de leurs propres pas et le fait que ce qu'ils disaient n'était pas enregistré les incitèrent à parler de leurs sentiments personnels.

Au moment où ils entraient dans le hall vide, Liz dit :

– Je ne sais pourquoi, mais chaque fois que Merry publie un livre, je me trouve plongée dans une série d'émotions complexes. Colère, jalousie, plaisir, orgueil... Je pense que c'est normal, non?

Elle regarda Chris qui était le meilleur auditeur du monde, il approuva de la tête et sourit. Elle se sentait à l'aise avec lui. Une fois dans la chambre de Liz, il enleva ses chaussures et s'affala dans un fauteuil. Elle alluma un joint, le lui offrit, mais il n'en avait pas envie et elle fuma seule. Elle se pelotonna sur le canapé près du vieil Hamburger et se mit à bavarder. De temps en temps, elle aspirait une bouffée de joint; elle était détendue.

– Mon problème est que je suis une fille très démodée. J'aime les hommes qui parlent. J'aime parler. Derrière moi se presse toute une génération de gens qui veulent parler avec leur corps. Seigneur! comme chacun d'eux est musclé et chic. Ils éclatent dans leurs vêtements achetés délibérément trop serrés pour montrer leurs tétons et leurs parties génitales... c'est la mode moulante. Nous avons une génération de beaux gars. Ils sont bien plus beaux que les Grecs de jadis. Mais où trouver un garçon qui s'exprime avec aisance? Personne n'a plus envie de parler.

Elle s'arrêta et attendit qu'il dise quelque chose.

– Oh? finit-il par prononcer.

– Par exemple, remarqua-t-elle en pointant son doigt vers lui.

Chris éclata de rire.

Elle se leva légèrement et eut une moue de surprise ironique.

– Et ça rit!

Il posa le pied sur le genou de Liz. Elle regarda fixement le pied qui ne bougea pas.

– Vous avez dit quelque chose de drôle.

Il ôta son pied et se leva. Tout près du canapé. Puis, il passa devant elle et se jeta sur le lit, en face.

– Je n'ai pas à parler à n'importe qui, déclara-t-il au plafond, et je ne fais pas l'amour à chaque femme que je rencontre.

Liz changea de position pour le regarder.

– Mieux vaut faire comme vos semblables.

– D'accord avec vous sur ce point, répondit Chris du lit. Les oreilles, voilà un moyen de séduire. Les oreilles, vous savez. Ce sont de petits symboles de sexualité.

Elle s'appuya sur un coude pour le dévisager.

– J'entends grâce à des petits symboles de sexualité ?

– Bien sûr, je leur parle. Je leur parle doucement et ils me répondent. Si je parle de plus près, ils me répondent encore mieux. Je respire contre eux. Je les caresse. Je les embrasse. Ma langue se glisse dans votre oreille. N'est-ce pas sexuellement excitant ?

Et de fait, elle sentit ses oreilles picoter. Elle attrapa la bouteille de vin ouverte un peu plus tôt, au cours de cette journée – ou de cette soirée – mémorable et se servit un grand verre. C'est peut-être le vin, ou le joint. Ou ce garçon, Jim... Mon Dieu ! Bon, je me sens toute molle. Elle était décidée à ne pas penser à l'effet excitant que le discours intellectuel de Chris avait eu sur elle.

Il s'était mis à plat ventre, la tête contre le bord du lit.

– Hé ! cria-t-il soudain, il y a un tableau par terre.

Gênée, elle mentit.

– Je leur avais pourtant demandé de le remettre en place.

– Vous voulez que je le fasse ?

– J'ai perdu le clou. Il est tombé.

– Je peux essayer de le trouver, proposa-t-il d'une voix étouffée par le couvre-lit froissé.

– Non, ne vous en faites pas, dit Liz qui éclata de rire, étonnée.

– Hein?
– Il risque de tomber à nouveau.
Elle posa doucement son verre et se leva. Il tourna la tête vers elle, lorsqu'elle vint le rejoindre. Il était très sérieux et elle n'avait plus envie de rire.

9

Il partit avec elle dans le Connecticut le lendemain; ils n'eurent même pas besoin d'en parler. Liz attendit dans le taxi en bas de l'hôtel Chelsea pendant qu'il récupérait ses affaires qui se résumaient à un sac à dos, surtout rempli de cassettes et de livres; ils se rendirent ensuite à la gare centrale et prirent le train. L'interview continuait, évidemment, mais c'était plus que cela. Leur conversation coulait avec autant de naturel et de fraîcheur qu'une source de montagne; ils s'entendaient bien physiquement et aucun n'exigea de l'autre promesses et mensonges.
Il s'écoula une semaine, deux, plusieurs, et l'hiver s'installa. Chris s'occupa de couper du bois pour la cheminée et de maintenir le feu allumé, et le vieux grand lit à colonnes retentit de leurs rires et de leur plaisir. Ils s'habituèrent à voir de la neige fraîche à leur réveil; Chris apprit à préparer le thé comme Liz l'aimait et il l'étonna souvent en lui servant une tasse fumante juste au moment où elle en avait envie, alors qu'elle était plongée dans ces romans qu'elle devait lire et juger. Elle se surprit plusieurs

fois à le regarder et à sourire, à soupirer parfois, quand elle se rappelait qu'il avait vingt-deux ans et qu'elle en avait presque le double. Elle ne voulait pas penser à ses sentiments. Elle ne voulait pas éprouver de sentiments, surtout pas pour lui.

De loin en loin, il accomplissait un acte extravagant, jeune, et au lieu de regretter d'avoir laissé cet intrus s'infiltrer dans sa vie, elle se mettait à rire et le comprenait. Elle s'efforça de s'absorber dans son travail et sa présence lui fut un baume, une source de joie qu'elle ne pouvait pas – qu'elle ne voulait pas – nommer.

Liz trouva des excuses pour rester chez elle : trop de travail, la date du National Writer's Award, le mauvais temps; elle s'inventa même une grippe, quand Merry insista. Elle esquiva les dîners chez Jules Levy, les cocktails, les déjeuners et les soupers tardifs qui marquaient toujours à New York le besoin frénétique d'éviter à tout prix la solitude en cette période de Noël. Ils passèrent des heures ensemble à lire au coin du feu, à bavarder – avec ou sans magnétophone –, ils cuisinèrent, mangèrent avec un appétit dévorant, firent l'amour dans chaque pièce de la maison à toutes les heures du jour et de la nuit. Le réveillon de Noël fut tendre et douillet; le jour de Noël, ils échangèrent des baisers, burent du champagne et portèrent des toasts à leur intelligence qui leur avait permis de se découvrir l'un l'autre.

Merry fit savoir qu'elle était malheureuse et blessée, parce que sa meilleure amie l'ignorait alors que c'était, en partie, pour voir Liz qu'elle était venue à New York et que si Liz n'assistait pas à sa réception du 29, elle ne lui parlerait plus jamais. Liz dit qu'elle viendrait.

– Tu m'accompagneras? demanda-t-elle à Chris.

Il répondit qu'il acceptait, naturellement.

Le salon, rempli à profusion de meubles somptueux, était plein de monde, de fumée et de bruit quand ils entrèrent dans l'appartement de Merry. Liz reconnut certains invités : agents littéraires, critiques, producteurs de télévision, journalistes et écrivains célèbres. On aurait dit une réception costumée car tout le monde portait des tenues d'un chic désinvolte : tweed de trappeurs, velours de paysans, manteaux de brocart, soies de la République populaire de Chine. Liz et Chris donnèrent leurs manteaux au maître d'hôtel. Elle se sentait nerveuse pour une raison stupide qu'elle ne souhaitait pas approfondir et dont elle n'était qu'à moitié consciente. Elle avança dans la salle, légèrement en tête. Chris la suivit, aimable comme toujours, grand, beau et insupportablement jeune en chemise de cow-boy, un lacet en guise de cravate; il ne paraissait pas se rendre compte de l'embarras de Liz.

De l'autre bout de la pièce, Debby leur fit signe de la main. Elle portait un costume en satin noir d'une fausse simplicité. De l'endroit où elle se trouvait et malgré la foule qui les séparait, Liz put voir ses seins fermes et hauts que sa veste découvrait largement. Debby s'accrochait au bras de son amant. Ginger avait revêtu un smoking vert métallisé et un élastique vert retenait sa queue de cheval. Il parlait à Norman Mailer qui semblait très intéressé.

Liz aperçut Merry qui se frayait un passage vers eux, à travers des groupes de gens connus, occupés à bavarder. Elle aussi était pendue à un bras, celui de Jules, bien sûr, vêtu d'une tenue de soirée sur mesure. Quelqu'un qui aurait pu être Gloria Vanderbilt les arrêta et embrassa Merry sur la joue. Liz écouta, amusée, cette femme d'un chic fou et d'une maigreur extrême s'exclamer :

– Merry, tu es une véritable beauté!

– Cela ne va pas durer, répondit Merry, ravie, de sa voix languissante, si Jules ne me laisse pas me reposer. Avec lui, ce ne sont que réceptions.

– Vous devriez avoir honte, Jules, le gronda la dame très chic en riant. (Etait-ce Gloria Vanderbilt? Mais qui s'en souciait?)

– Il n'y en a pas assez, dit Jules, rayonnant.

Il tapota la main de Merry qui vit Liz à ce moment précis. Elle les quitta aussitôt pour se précipiter sur son amie; elles s'embrassèrent.

– Tu es en retard, mais je te pardonne, dit Merry.

Elle regarda Chris avec curiosité :

– Voilà ton jeune ami, ajouta-t-elle, d'un ton plein de sous-entendus.

Liz voulut parler mais brusquement interrompue par Jules qui les enlaça toutes les deux. Il les fit adroitement se tourner vers le photographe qui attendait, accroupi, l'appareil prêt.

– Mes femmes! annonça Jules à l'instant où le flash se déclencha. La photographie montrerait Merry Blake, belle et souriante, Jules Levy, immense et protecteur, et Liz Hamilton qui avait l'air d'avoir perdu quelque chose et se demandait ce que c'était.

Chris avait reculé pour s'écarter du groupe. Liz le rejoignit et lui prit la main; il se rapprocha mais resta en arrière. Elle le poussa en avant.

– Jules, dit-elle, je vous présente Chris Adams.

– Comment allez-vous? demanda Jules sans le regarder.

Liz se décida : elle tira gentiment la main de Chris pour l'amener au premier plan. D'autres flashes crépitèrent. Deux écrivains souriants, leur heureux éditeur et un jeune reporter inconnu, de *Rolling Stone*. On se précipita pour connaître son nom et l'inscrire sur la légende de la photo.

– Je ne peux le croire!, dit Merry lentement.

Elle se détourna du miroir pour regarder Liz qui venait d'entrer derrière elle.

Merry vit le large sourire de Liz et répéta :

– Je ne peux y croire!

– C'est la vérité.

Les toilettes se divisaient en deux parties : meubles de toilette aux portes en glace et coin maquillage éclairé de spots d'un côté et de l'autre, les toilettes proprement dites à la plomberie encastrée dans le marbre. Merry ferma la porte de séparation pour ne pas être dérangée si quelqu'un entrait. Elle étudia le visage de son amie, vit son expression et enlaça alors Liz :

– Tu es amoureuse!

Liz l'étreignit également.

– Oui, je crois que je le suis, murmura-t-elle contre les blonds cheveux parfumés de Merry.

– Espèce de vieille tortue sournoise! Oh Liz! je suis tellement contente pour toi!

Brusquement, Liz se retrouva en larmes.

– Il est si jeune... Qu'est-ce que je vais faire...
– Tu n'as qu'à en profiter. Il est temps, Liz, tu mérites d'être heureuse; il n'est rien de plus merveilleux que d'être amoureuse...
– Oh Merry!
– C'est la vérité. Je suis ravie pour toi, Liz. Ce garçon te fait beaucoup de bien, c'est tout ce que je peux dire.
– Oh! il est bien... Il est... délicieux.
– Parfait. Attends, mets-toi un peu de rouge à lèvres. Essaye celui-là, dit Merry et elle lui tendit l'un des nombreux tubes qui encombraient l'immense table. Viens, je dois retrouver mes invités. Tu as vu, Tom Wolfe est là. Prête?
Liz se tamponna les yeux, mit un peu de rouge et, ensemble, elles rejoignirent les autres.

Ils préférèrent rester à l'hôtel Algonquin plutôt que de retourner de nuit dans le Connecticut. Dans le taxi, ils comparèrent leurs impressions, se moquèrent des personnes qui avaient assisté à la réception. Ni l'un ni l'autre ne mentionna ce à quoi il pensait vraiment. Ou, peut-être, se dit Liz, lui n'y pensait pas du tout. Peut-être ne voyait-il rien d'extraordinaire au fait qu'elle s'était « affichée » en présentant au monde de l'édition son tout jeune amant.

Il était très tard, lorsqu'ils montèrent dans leur chambre, mais ils n'étaient pas du tout fatigués et Chris se dit qu'elle aimerait peut-être parler. Au magnétophone? Bien sûr... elle se sentait en pleine forme.

Elle s'assit sur le lit, entièrement habillée, fuma

et, les yeux fixés sur le plafond, laissa les mots et les pensées s'écouler. Chris, assis en position de demi-lotus, au pied du lit, l'observait et l'écoutait. Le magnétophone, placé entre eux sur le couvre-lit, enregistrait.

– Yeats était un grand cinglé. Il avait l'habitude d'écouter des voix avec sa femme, des voix de l'au-delà qui lui indiqueraient ce qu'il devrait écrire. Mais ce qu'il écrivit... Seigneur! quel Irlandais de génie!

Elle ferma les yeux et cita les vers merveilleux : « ... mais un homme aima en vous l'âme errante... et aima les douleurs de votre visage changeant... »

Pour exprimer ce qu'il éprouvait, Chris se pencha en avant et posa sa main sur la joue de Liz. Elle l'embrassa.

– J'ai eu la révélation, dit-elle en ouvrant les yeux pour le regarder, que c'était bien. Tu comprends?

– Non, répondit-il doucement.

– C'est bien, répéta-t-elle.

Elle attendit, mais il n'avait pas encore compris.

– Nous deux.

Il ne réagit pas. Il n'enleva pas sa main de la joue de Liz, bien qu'elle ne fît rien pour la garder. Il la regardait tendrement et écoutait ses paroles, mais il ne répondit pas.

– Je veux dire que c'est bien pour moi, dit-elle prudemment.

– C'est bien d'être amoureux?

Un soir, à Carnegie Hall, elle avait écouté Rampal jouer une sonate de Bach à la flûte et elle avait entendu ce même son incroyable. Parfois, un mot pouvait produire le même effet.

Son vieil instinct de fuite revint : fais une plaisanterie, lève-toi, sors, va boire un verre... mais elle resta assise, très calme, le regarda et dit lentement :

– Oui. C'est ce que je veux dire : c'est bien d'être amoureuse.

Il ne broncha pas et n'eut aucun mouvement de recul. Il attendait.

– Amoureuse, répéta-t-elle.

Elle arrêta le magnétophone.

– Est-ce que le sexe te déconcerte? lui demanda-t-elle.

– Non.

– Je ne parle pas de la manière de faire l'amour... tu es merveilleux... bien que cela puisse être très déconcertant parfois... mais je veux parler uniquement de la question du sexe.

Elle s'assit, les bras autour des genoux et poursuivit, tandis qu'il écoutait attentivement.

– Je suis allée chez un psychothérapeute un été. Il avait cette idée folle – et probablement juste – que je devais attendre d'être bouleversée par un homme avant de pouvoir me remettre à écrire.

Chris allongea la main et toucha le genou de Liz.

– Il a également dit que je trouverais des amants auxiliaires. C'est-à-dire : je suis excitée par l'Objet A, je pars et je couche avec l'Objet B.

Elle le regarda droit dans les yeux.

– J'ai l'impression avec toi que je fais l'amour avec l'Objet A, dit-elle, malgré le mal qu'elle eut à prononcer ces mots.

Il la prit dans ses bras.

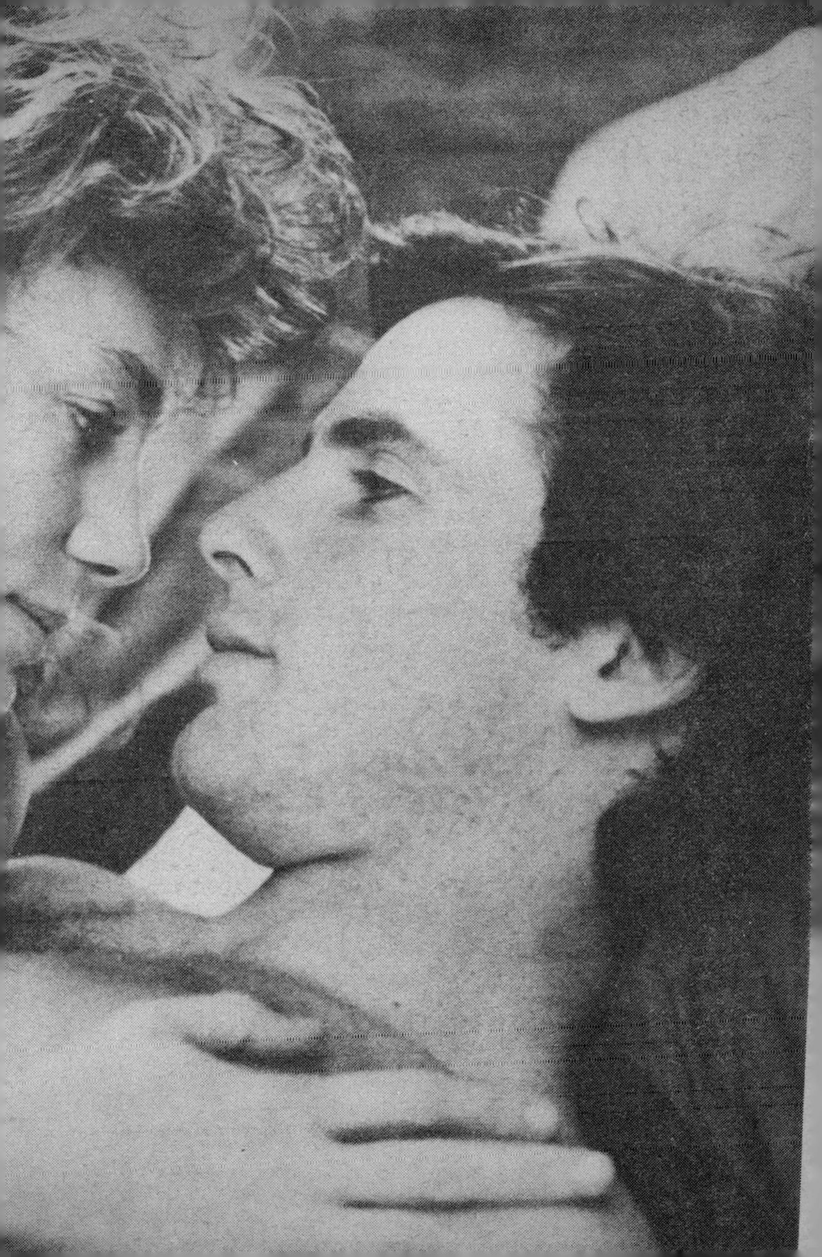

– N'as-tu jamais pensé, murmura-t-il dans ses cheveux, que ce qui rendait le sexe si excitant, c'était qu'il était également si effrayant?

– C'est ce que tu penses? Je t'effraie?

Il se rejeta légèrement en arrière pour la regarder et continua :

– T.S. Eliot a sorti cette vacherie sur D.H. Lawrence. Pourquoi tous ces types avec des initiales? Eliot a dit que Lawrence recherchait une impossible intimité entre un homme et une femme. Sornettes! Ça signifiait seulement qu'Eliot était effrayé alors que Lawrence se tenait prêt et espérait. Espérait que ce serait possible, et disposé à regarder, à essayer...

Liz s'allongea sur le lit et il la rejoignit tout naturellement.

– De quoi chacun a-t-il peur? demanda-t-il gentiment. Du risque? De courir sa chance? Des responsabilités? Voilà les mots à la mode. Ils ne rivalisent pas avec les bons vieux mots, hein? Comme... malade d'amour. Du fond du cœur. Uni par les liens du mariage... jusqu'à ce que la mort nous sépare... Ce sont des mots sensationnels. Les femmes ne peuvent les entendre sans se mettre à pleurer.

– Et les hommes? Ils ne pleurent pas?

Chris sourit. Sa bouche était tendrement posée près de la sienne.

– C'est un style différent. Au lieu de pleurer, regarde, ils ont des petits poils qui se dressent un peu partout.

– Tes petits poils se redressent? demanda-t-elle en souriant.

Mais il était sérieux.

en argent sur l'une des tables. Elle s'assit sur un sofa et se versa une tasse de café.

– Debby ne rentre pas. Elle ne téléphone pas non plus. Je ne sais plus quoi faire, annonça Merry d'un ton dramatique. Elle a dix-huit ans et, dans cet Etat, l'alcool ne lui est pas interdit. Le morceau de Brahms que tu m'as offert m'esquinte les doigts, ajouta-t-elle en louchant sur la partition.

Elle posa les mains sur les touches, étudia les accords d'ouverture et dit :

– N'a-t-il pas écrit aussi cette berceuse? *La Berceuse* de Brahms? J'ai vu son nom dessus.

Elle joua d'une main l'air de la berceuse, puis essaya d'y ajouter un accord ou deux et les surprit en se souvenant joliment du morceau tout entier.

Merry pivota sur son tabouret et regarda Liz.

– Qu'en penses-tu?

– Parfait.

– Je voulais dire, du tableau lui-même : la femme qui se suffit à elle-même – une femme aux talents reconnus – devant la cheminée, en train de jouer du piano.

– Un reporter doit venir?

– Non, pas précisément. Un homme.

– Un homme qui aime les berceuses?

Merry ne put se contenir. Elle se leva d'un bond et s'assit sur le sofa, près de Liz. Elle lui serra le bras et heurta la tasse de café qu'elle faillit renverser.

– Doug a téléphoné, dit-elle, excitée. Il est à New York.

– Doug Blake? demanda Liz, sidérée.

– Il est bronzé et a réussi, c'est tout ce qu'il m'a dit. Il arrive de Houston. Il aurait voulu venir ici, sur-le-champ, mais il est occupé. Son boulot.

– Quand vient-il?

– Demain.

Doug. Comme ce serait bien de le revoir... comme sa vie aurait été différente si...

– Fais-lui mes amitiés, dit-elle chaleureusement. C'est un homme merveilleux.

Merry était plongée dans ses pensées.

– Il a une idée en tête. Je le sens. J'en mettrais ma main à couper.

Elle se leva.

– Il veut reprendre la vie commune, annonça-t-elle.

Elle arrangea son pull en cashmere, assorti à son pantalon de lainage. Un régime strict et une gymnastique régulière la gardaient mince et son ventre restait plat.

– Cela ne fait que quatre ans. Ce n'est pas long. On dit qu'il faut cinq ans pour que votre matelas perde votre empreinte. Chacun de nous garde encore l'empreinte de l'autre.

Liz avait l'air sombre; Merry s'aperçut qu'il se passait quelque chose. Elle avait cet air-là déjà en entrant, seulement, Merry était trop préoccupée pour le remarquer. Quelque chose n'allait pas, une chose triste et terrible était arrivée...

– J'ai perdu! s'exclama Merry.

Elle dévisagea Liz.

– Quoi? demanda Liz sans comprendre.

– Tu n'as pas l'air dans ton assiette.

– Je t'en prie...

– Le vote a eu lieu. Je n'ai pas le prix et tu ne veux pas me le dire.

Liz soupira. Elle reposa soigneusement sa tasse.

– Merry, quel jour sommes-nous? demanda-t-elle, d'un ton légèrement impatienté.

– Je ne suis pas une enfant, déclara Merry.

– Aujourd'hui, nous sommes le 30. Le vote final est pour demain, pour le 31, dit Liz d'un ton las.

Merry se mit à aller et venir devant le canapé :

– Oh Liz! je rêvais à ma réception : juste sur le coup de minuit, j'annonce que j'ai gagné le prix et que mon mariage repart à zéro!

– Comment peux-tu être sûre?

Merry s'arrêta.

– De quoi?

– De l'un et de l'autre.

Selon son aptitude heureuse à ignorer tout ce qu'elle ne souhaitait pas entendre, Merry ne prêta pas attention à cette sombre hypothèse. De nouveau excitée, elle balaya l'immense pièce d'un geste et inclut Liz dans son rêve.

– J'aurai des tables ici, tout le long, débordantes de... tout ce qui pousse à cette époque de l'année.

Elle réfléchit une minute.

– L'ennui, c'est qu'en décembre, on ne trouve pas de fraises. Comment diable vais-je créer une grande zone de rouge au milieu de la table?

– Egorge un de tes invités, suggéra Liz.

Merry se tourna vers elle, en colère :

– Liz, si tout ce que tu me souhaites, c'est être malheureuse, je préfère que tu me quittes. Je suis désolée, mais c'est exactement ce que je pense.

Liz attendit un peu, puis dit calmement :

– Je suis désolée, moi aussi. Je ne voulais pas te démoraliser. Toutes mes amitiés à Doug.

Elle se leva et prit son manteau posé sur le dossier du canapé.

– Je le pense vraiment : c'est un homme merveilleux.

Elle était sur le point de pleurer, bon sang! Elle quitta rapidement la pièce, traversa l'entrée et sortit. Elle resta dehors sur le palier, enfila les manches de son manteau, appuya sur le bouton d'appel de l'ascenseur et éclata en sanglots.

Merry ouvrit la porte, s'approcha de Liz et la regarda attentivement. Ce qu'elle vit l'inquiéta beaucoup...

– Vous deux, vous aviez les seules choses que j'aie jamais admirées, dit Liz : le mariage, une enfant et vous vous aimiez.

La porte de l'ascenseur s'ouvrit avant que Merry ait eu le temps de répondre. Liz entra et appuya sur le bouton du rez-de-chaussée, mais Merry empêcha la lourde porte de se refermer. Elle regardait toujours Liz et son visage refléta son angoisse.

– Ça va maintenant, je t'assure, dit Liz. Laisse-moi.

Merry entra dans l'ascenseur :

– Je veux savoir ce qui se passe.

– Demain, d'accord? promit Liz en tapotant le bras de Merry.

Elle souhaitait désespérément quitter Merry et se retrouver seule au cas où elle ne pourrait se retenir de pleurer.

Merry laissa la porte se refermer et descendit en silence en compagnie de Liz qui reniflait et regardait droit devant elle.

A l'entrée de l'immeuble, Liz fit un geste d'adieu à Merry avant de pousser la porte et de se retrouver dans l'air froid. A sa grande surprise, Merry la suivit, dans son délicat pull en cashmere qui ne la protégeait nullement du vent aigre et glacé.

Liz s'arrêta :

– Merry, rentre. Tu vas mourir de froid.

Merry secoua la tête. Elle croisa frileusement ses bras sur sa poitrine et resta ainsi, une minute, saisie de froid, mais décidée à ne pas bouger. Le portier, les joues rouges et brillantes à cause du vent, leur jeta un regard inexpressif; une partie de son travail consistait à ne pas prêter attention aux personnes extravagantes qui entraient et sortaient sans cesse. Il portait un chaud manteau gris aux épaulettes étincelantes et tapait de temps à autre dans ses gants. Il croisa le regard de Merry et attendit de voir s'il devait siffler un taxi. Merry s'approcha de lui :

– Pouvez-vous me prêter votre manteau, mon ami? Juste pour un instant, demanda-t-elle avec un sourire et en claquant des dents.

Liz l'observa, ahurie. Le portier ôta son manteau qu'il posa sur les épaules de Merry. Cela l'enveloppa complètement. Le portier fit un petit salut et emprunta la porte tournante, le regard toujours cordial et réservé.

– Tu es si déterminée, murmura Liz.

Elle souhaitait réellement s'en aller, se retrouver seule, mais comment y arriver avec Merry si décidée à vous prendre entièrement en charge...

– Si tu as tous ces tracas à cause de moi et de mon prix...

Elle enfouit les mains dans les poches du grand

manteau. Elles restèrent sous l'auvent de l'hôtel et ignorèrent les coups d'œil des gens qui passaient près d'elles.

– Ce n'est pas ça.

– C'est à cause de ton travail?

Liz secoua la tête, de plus en plus malheureuse.

– Je t'en prie, non.

Merry s'abrita sous le large col relevé du manteau et fixa Liz de ses yeux pénétrants et sagaces.

– *Rolling Stone*! hein?

– Il s'appelle Chris. Chris Adams.

– C'est bien ça.

Liz refusa de croiser le regard de Merry. Elle embrassa d'un coup d'œil toute la 5e Avenue jusqu'à la fontaine du Plaza, encore décorée des rangées de lumières blanches installées pour Noël.

– Il veut m'épouser, dit-elle.

Un pâté de maison plus bas, la foule habituelle, agglutinée autour des vitrines du magasin de jouets F.A.O. SCHWARTZ, admirait les trains électriques qui circulaient sans arrêt dans un décor fantastique. Un homme, déguisé en renne, une paire de ramures sur la tête, demandait l'aumône, la main tendue.

Merry toucha le bras de Liz :

– Ce garçon?

– C'est ce que je disais.

Liz essaya de sourire, mais elle se sentait glacée. Elle ne pouvait toujours pas regarder son amie en face, voulait quitter cet endroit et ces rues idiotes mais, ne voulait surtout pas rentrer chez elle. Ne pas être seule maintenant, pas encore, dans la maison tranquille sous la neige...

– Il te l'a proposé?

– Oui, il l'a fait. A moi... une femme mûre, dit Liz avec un petit rire amer.

Elle accepta alors de lever les yeux sur Merry et elle le fit parce que celle-ci souriait comme un enfant ravi.

– Je ne peux y croire! s'exclama-t-elle, gentiment.

Liz secoua la tête, tristement.

– C'est aussi mon problème. Je ne peux y croire, moi non plus.

– Tu penses qu'il est sérieux?

– Il dit qu'il l'est.

– Que vas-tu faire?

– J'ai refusé.

– Oh Liz!

– Quoi?

Merry ne répondit pas tout de suite. Elle réfléchissait. Puis, elle dit, laissant échapper un nuage de vapeur glacée :

– Qu'éprouves-tu?

– Je ne veux personne auprès de moi quand mes cuisses se flétriront.

Merry s'impatienta.

– Tu as parfois un sale caractère, mais tu n'effrayes que toi-même.

Un homme corpulent qui portait un manteau de fourrure d'un animal en voie de disparition, sortit de l'hôtel, les repéra et s'adressa à Merry d'un ton jovial :

– Hé portier! pouvez-vous m'appeler un taxi?

Elles ne répondirent pas.

– Combien de temps cela pourrait-il durer? demanda Liz à voix basse, une fois que l'homme eut dis-

paru après avoir fini par héler lui-même un taxi.
– C'est de la folie, gémit-elle.
– Une année, dit Merry.
– Tu vois! explosa Liz.
Merry était pensive.
– Cela pourrait durer une année, deux ans peut-être, trois. Et pourquoi pas quatre ou cinq?
Liz la regarda. Le nez de Merry était devenu rouge mais cela n'enlevait rien à sa beauté.
– Que dis-tu?
– Il n'y a pas de certitude, Liz. Si ce jeune homme dit qu'il t'aime, laisse-le rester auprès de toi jusqu'à ce que tes cuisses se flétrissent. Quelle foutue différence cela fait-il?
Liz la fixa encore un peu, puis observa l'embouteillage qui s'était formé aux feux de signalisation, car deux conducteurs de bus étaient sur le point de se rentrer dedans au beau milieu de la 60e Rue. Elle se tourna à nouveau vers Merry qui l'aimait et lui souriait et demanda, étonnée de son propre manque de perspicacité :
– Pourquoi ne me l'as-tu pas dit plus tôt?
Tout devint soudain si clair et si simple. Merry avait toujours été la première à se mettre la bague au doigt, à rafler toutes les joies et toutes les chances et Liz, considérée comme la plus intelligente, tardait tellement à peser le pour et le contre que les trains et les bateaux partaient toujours sans elle.
Elle se sourirent.
– Merci, ma vieille, dit Liz.
Elle serra dans ses bras les manches volumineuses du manteau, les épaulettes en cuivre et le reste.

– Liz, n'est-ce pas merveilleux... peut-être aurons-nous une triple nouvelle à annoncer à ma réception du Réveillon? Et nous serons toutes les deux des femmes mariées...

Liz se mit à rire. Le poids d'une tonne qui pesait sur sa poitrine s'était transformé en un vertige et elle s'aperçut qu'elle n'avait pas mangé de la journée. Mais elle se sentait en pleine forme. Elle aimait Merry, elle aimait Chris, elle aimait la vie et pourquoi pas le monde entier?

– Tu ferais mieux de rendre son manteau au portier et d'aller te réchauffer devant ta cheminée. Je vais chercher Chris.

– D'accord.

Elles s'embrassèrent à nouveau, rapidement. Liz fit demi-tour, puis s'arrêta et rappela Merry, toute petite sous le grand col de laine.

– Que veux-tu dire par une triple nouvelle?

– Doug et moi. Chris et toi.

– Et...?

– Enfin, Liz, pour l'amour du ciel, tu n'as quand même pas oublié ce satané prix, éclata Merry.

Liz leva sa main gantée pour la saluer et descendit l'avenue en hâte.

Quelle animation : individus intéressants, personnages originaux, enfants délicieux et parents heureux, jouets et camelots fascinants, artistes ambulants pleins de talent et joyeux maniaques qui parlaient tout seuls! Partout où se posait son regard, ce n'était aux vitrines des magasins que produits luxueux, élégantes décorations, étalages curieux, merveilles drôles et gracieuses. L'air était vivifiant et elle eut l'impression que, comme elle, tout le monde souriait.

Elle tourna dans la 44e Rue et courut presque jusqu'à l'hôtel Algonquin, en se disant qu'il n'était sûrement pas déjà là, mais qu'il aurait peut-être laissé un message, qu'il attendait son coup de téléphone et qu'ils seraient ensemble dans une heure...

Il n'y avait pas de message. Elle demanda à l'employé de vérifier, mais elle put se rendre compte elle-même que sa case était vide à l'exception du double de sa clé.

Une fois dans sa chambre, elle enleva son manteau et se vit dans le miroir. Elle n'avait jamais été plus belle. Joues brillantes, roses de froid. Yeux noirs, étincelant d'un plaisir anticipé. Une restriction : le fin sillon sur son front entre les sourcils, ce vieux doute qui la tenaillait toujours. Parce qu'il n'avait pas téléphoné ? Ce n'est pas facile, se réprimanda-t-elle. Tu n'arrives pas à renoncer au malheur et à croire. Bon... on reprend à zéro... à partir de maintenant. Tout ira bien. Ce sera mieux que bien, ce sera merveilleux tout le temps, autant que cela durera. Elle sourit pour faire disparaître la ride et se détourna du miroir.

Elle devait réfléchir à son vote du lendemain. Le livre de Merry était bon, d'une écriture très maîtrisée qui exprimait exactement ce qu'elle voulait dire sans le torrent d'adjectifs et de clichés superflus qui avait caractérisé ses romans précédents. C'était une histoire belle et émouvante, les personnages sonnaient juste, bref, un livre important qui plairait à tout le monde. Un roman particulièrement réussi dont tout écrivain pouvait être fier, certainement, l'un des meilleurs de l'année. Liz aurait tort de voter pour ou contre uniquement parce qu'il s'agissait de Merry...

Pourquoi n'appelait-il pas? Où était-il? Une fois qu'elle se serait excusée, tout irait bien comme avant.

Elle décrocha le téléphone et appela *Rolling Stone.* Pendant que ça sonnait, elle jeta un coup d'œil sur les livres qu'elle avait apportés à New York avec elle, ceux qu'elle n'avait pas éliminés. Quelle chose horrible que de demander à un écrivain d'en juger d'autres.

– Ici, *Stone*! annonça une voix féminine et jeune au bout du fil.

– Allô! euh... Est-ce que Chris est là? Chris Adams?

– Hé! quelqu'un sait où est Chris?

Elle entendit des suggestions vagues et lointaines, puis la jeune femme revint pour transmettre à Liz l'opinion générale :

– Il a parlé d'aller au tribunal.

– Au tribunal? Quel tribunal? Il est sur une affaire?

– J'sais pas. Il a seulement dit quelque chose à propos du tribunal et il a filé. Vous voulez lui laisser un message si jamais il revient ici?

– Oui, s'il vous plaît. De la part de Liz, Liz Hamilton. Voulez-vous lui dire que je suis à mon hôtel?

– D'accord.

– Dites-lui, euh... dites-lui que je dîne là et que j'attends qu'il m'appelle, d'accord?

– Bien sûr.
– Merci.
– Au r'voir.

Elle raccrocha et le vide de la chambre lui donna le vertige. J'ai faim, voilà ce qu'il y a. Je me sentirai mieux quand j'aurai mangé quelque chose. Et cesse de rêvasser comme une jeune écervelée. Le National Writer's Award mérite mieux.

Elle regarda la carte proposée par le service d'étage, téléphona pour passer sa commande et s'obligea à s'asseoir, à prendre les quatre meilleurs romans qu'elle avait sélectionnés, le carnet dans lequel elle avait noté ses impressions sur chacun d'eux et ses lunettes. Elle s'installa confortablement et s'absorba dans son travail.

Lorsque le garçon entra, Liz était si concentrée qu'elle sursauta. L'obscurité avait envahi toute la chambre à l'exception de la partie éclairée où elle se trouvait. Elle posa une petite lampe sur la table roulante, dressée pour une personne. Elle mangea sans lever le nez du roman, appuyé contre son assiette. Mais une fois le café bu et le choix définitif de son vote fixé, ses pensées ne surent plus où se réfugier. Elle posa le livre, alla à la fenêtre et regarda en bas la rue obscure, régulièrement aspergée de néon. L'anxiété la submergea à nouveau, renforcée par toutes les désillusions rencontrées dans sa vie.

Elle s'assit sur le canapé, dans une demi-pénombre et sombra dans la mélancolie toujours prête à réapparaître chez elle. Le surcroît de lecture, la lourde responsabilité du choix, la conjuration de la peur lui avaient donné la migraine. Elle fuma cigarette sur cigarette et attendit.

Quand le téléphone sonna, elle tressaillit, comme si ce n'était pas ce qu'elle espérait entendre. Du calme, se dit-elle, pour l'amour du ciel, cesse de te conduire comme une idiote.

– Allô!

– Tante Liz?

Elle souhaita n'avoir pas l'air aussi désappointé qu'elle l'était.

– Oh c'est toi! Debby. Ta mère te cherche. Je l'ai vue au début de la soirée, elle aimerait vraiment que tu l'appelles. Euh, Debby... je ne voudrais pas qu'on parle trop longtemps, chérie. J'attends un coup de fil.

– Ouais, okay! tante Liz, mais écoute... j'appelle parce que Chris m'a demandé de te dire qu'il était ici et...

– Il est avec toi?

– Ouais, nous sommes au tribunal. Mince alors, tante Liz, il est formidable, je veux dire, il est...

– Debby, qu'est-ce que cette histoire de tribunal? Où êtes-vous exactement? Que se passe-t-il?

Elle entendait mal, on aurait dit que Debby téléphonait au milieu d'une foule de gens qui criaient tous en même temps.

– Chris est en train de parler au juge maintenant et...

– Debby, quelque chose ne va pas? Chris a des ennuis?

– Non, c'est pas lui, c'est Ginger. Ils ont arrêté Ginger. Violation de la parole donnée et port d'arme. Ce n'était pas pour de vrai, je veux dire, c'était un vrai fusil, mais il voulait juste s'en servir pour voir comment les gens réagiraient. Tu sais, pour sa nouvelle pièce.

– Debby, je t'entends mal et je ne comprends rien à ce que tu racontes. D'où appelles-tu?

– De la rue, je n'sais même pas laquelle, c'est quelque part près du tribunal. Tous les téléphones étaient en dérangement à l'intérieur. Tu entends les voitures?

– Debby, pourquoi ne m'as-tu pas appelée en premier? Ou ta mère? Que fais Chris ici?... Je n'y comprends absolument rien.

– Eh bien, j'ai essayé de t'appeler, mais ça ne répondait pas, alors, j'ai appelé l'hôtel Chelsea et j'ai demandé Chris. Je pensais que tu étais peut-être avec lui, tu comprends.

– Debby, attends, fais venir Chris à l'appareil. Tu ne m'expliques pas grand-chose.

– J'peux pas. Il est au tribunal avec Ginger et le juge. Il est formidable, tante Liz, il est...

– Je peux faire quelque chose? Veux-tu que je vienne vous rejoindre?

– Non, je pense que Chris va tout régler. Il m'a seulement demandé de te téléphoner. Aussi... je pense qu'il t'appellera plus tard, dès qu'il pourra.

– Oui, d'accord. Tu es sûre que tout va bien, Debby?

– Oui, oui. Ecoute, ne dis rien au dragon, veux-tu? Je lui expliquerai plus tard, demain... ou un jour.

– Oh Debby!...

– Je dois me sauver. Au r'voir.

La communication fut coupée. Liz raccrocha, alluma une autre cigarette. Assise sur l'accoudoir du canapé, elle regarda par la fenêtre un long moment.

Elle pensa aller chercher un journal, en bas, à la réception, mais eut peur de manquer son coup de fil. Elle ne voulut même pas bloquer le téléphone pour commander un brandy ou un journal. Elle alluma la télé, passa d'une ineptie à une autre, regarda un jeu-concours endiablé, puis au moment de la publicité changea de chaîne, tomba sur un mélodrame concernant un assassin paraplégique, passa à un feuilleton comique ayant pour cadre un camp de concentration; elle suivit un instant une discussion de politique étrangère entre un présentateur et une starlette sexy et termina par une émission dramatique de la NBC dans laquelle les héros parlaient avec un accent du Nord incompréhensible. Elle regarda vaguement cette émission, assise toute habillée sur son lit et fuma beaucoup trop.

Deux heures après le coup de fil de Debby, elle téléphona à la réception pour savoir si elle n'avait pas reçu d'appel. Au cas où elle aurait été dehors, sous la douche, ou au cas où elle n'aurait pas entendu... Aucun appel, affirma l'employé.

Elle téléphona à l'hôtel Chelsea. La chambre que *Rolling Stone* réservait pour ses journalistes ne répondait pas. Sa chambre. Il ne l'avait jamais vraiment libérée, n'est-ce pas... Elle laissa son nom et un message lui demandant de la rappeler.

Elle passa encore une heure à regarder les pitreries démodées d'un comique de music-hall anglais en pantalon bouffant qui jonglait avec des oranges tout en jouant de la cornemuse, puis elle rappela l'hôtel.

– Ça ne répond pas? Je rappellerai. Non, j'ai déjà laissé un message. Merci.

Elle s'endormit et fut réveillée par le bourdonnement de l'écran vide de sa télé qui brillait, énorme œil carré et aveugle. Elle regarda sa montre et ne put croire qu'il fût si tard. Il avait peut-être des ennuis, Debby ne lui avait pas tout dit... ils l'avaient peut-être pris pour le complice de Ginger, pour un hippie, un gamin en jean qui transportait un sac à dos plein de cassettes et de trucs.

Elle décrocha le téléphone et attendit que l'employé de service réponde.

– Donnez-moi le 269-99-70, s'il vous plaît.

– Oui, m'dame. Une seconde, ne quittez pas.

– Merci.

Cela sonna longtemps. Puis quelqu'un dit dans un bâillement sonore :

– Ici, l'hôtel Chelsea, bons... euh, bonjour.

– La chambre 218, s'il vous plaît.

– Désolé, mais je ne peux les appeler à cette heure-ci. Il est 4 heures du matin.

– Oui, je sais. Mais c'est urgent.

– Euh, c'est pour le travail? Je veux dire, pourquoi ne pas attendre un peu? Appelez plutôt dans la matinée.

– Non, c'est un ami.

– Eh bien, je ne peux pas les réveiller. Ils ont d'ailleurs demandé à ne pas être dérangés.

– Je vous en prie, vous devez... attendez une minute. Ils...? Ils ont demandé...?

– Ouais, c'est ça. C'est indiqué ici. Pas d'appel.

– Que voulez-vous dire par « ils »? Je veux la chambre de Chris Adams.

– Ouais, c'est bien ça. C'est sa chambre. Le 218. Et c'est écrit ici, ils ont demandé à ne pas être dérangés. Maintenant, écoutez, si vous voulez laisser un message, vous pouvez...

– Non, répondit Liz d'une petite voix défaite. Pas de message. Merci.

Elle reposa l'appareil sur son socle et coupa la communication. Toutes les communications. Elle revint sur son lit. Elle avait encore ses chaussures, son collant, sa jupe froissée et son chemisier sale. Son visage lui parut gonflé, barbouillé et usé. Las et très très vieux.

La réunion suivie du vote final du prix devait commencer à 10 heures du matin et, pour une fois, Liz fut heureuse de se doucher, s'habiller et quitter sa chambre de bonne heure. Elle n'aurait pas supporté de passer une minute de plus toute seule dans cette chambre d'hôtel silencieuse. Les cas des personnes trouvées mortes dans une chambre d'hôtel devaient être plus élevés qu'on ne le disait, pensa-t-elle alors qu'une douche bouillante effaçait les traces de la nuit. Merry et tous ces écrivains experts en fadaises sentimentales avaient peut-être raison, on pouvait mourir quand on avait le cœur brisé et l'endroit idéal était une chambre d'hôtel. L'arme du crime : un téléphone silencieux. Ce garçon arrogant, intelligent et beau parleur n'a qu'à aller se faire fiche. J'ai failli m'y laisser prendre!

Liz arriva à Harvest House, lieu de la réunion, exactement à l'heure, ses notes et ses arguments tout prêts. Avant de quitter l'hôtel, elle avait fait le vœu – et s'y était tenue – de ne pas gaspiller une seconde pour penser à sa petite personne sauf s'il s'agissait d'elle en tant qu'écrivain, artiste, pair parmi ses pairs. Le travail était la seule chose qui comptât, la seule chose sur laquelle vous puissiez compter. Qu'elle avait été bête d'avoir oublié cela et d'avoir passé une longue nuit blanche... Quelle idiote! Jamais plus.

Elle éprouva du plaisir à s'asseoir en compagnie des membres du comité, bavarder intelligemment, échanger des arguments littéraires et discuter avec eux, peser le pour et le contre, les écouter et être entendue de ceux qu'elle respectait. La réunion se poursuivit presque toute la matinée.

Martin, Judy et Liz sortirent ensemble de l'immeuble, parlèrent un instant sur le perron et se félicitèrent de la décision équitable et bien étudiée. Puis, ils se quittèrent et partirent dans des directions séparées.

– Liz! Liz!

Une limousine était rangée devant l'entrée de Harvest House, en stationnement interdit, et son chauffeur actionnait son klaxon avec insistance depuis que le comité était sorti. Ils n'y avaient pas prêté attention, se contentant de hausser le ton, mais quand elle entendit crier son nom, Liz regarda qui l'appelait. C'était Merry. Penchée à la portière ouverte de derrière, elle faisait signe à Liz de venir.

Liz monta dans la voiture, le chauffeur se précipita pour fermer la portière, reprit sa place au volant et parla dans l'ouverture aménagée dans la glace de séparation.

– Où va-t-on, madame Blake?

Merry regarda Liz.

– Je déjeune dans le quartier chic, dit-elle. Avec Doug.

– Moi, je dois aller au centre, dans la direction opposée.

Liz inclina la tête sur le dos du siège moelleux. L'excitation de la réunion s'était apaisée et elle ressentit brusquement les effets de la nuit blanche.

– Au centre, dit Merry au chauffeur.

La voiture déboîta et démarra lentement au milieu de la circulation difficile. Merry attendit aussi longtemps qu'elle put : Liz savait ce qu'elle attendait mais ne voulut pas l'aider.

– Alors? finit par éclater Merry.

Liz soupira :

– J'aurais aimé que l'on parlât de cela en prenant un verre.

Merry la dévisagea.

– J'ai perdu.

– Pas exactement.

– J'ai gagné! souffla-t-elle.

Liz soupira à nouveau :

– Pas exactement, répéta-t-elle.

Merry leva les deux bras dans un cliquetis de bracelets.

– Pour l'amour du ciel...

– Ex aequo.

Merry la regarda :

– Le prix est partagé?

– Pas vraiment. Il a été décidé que deux personnes gagneraient le prix. Sharon Gay et toi.

– Sharon!

– Les deux livres appartiennent à ce que l'on

appelle la veine américaine sur la maturité de l'Amérique rurale...

– Je sais ce que l'on appelle la veine américaine, dit Merry d'un ton légèrement incisif.

– Sharon présente le point de vue de la femme noire et toi celui de la femme blanche...

– Sharon Gay.

– Les deux choix sont excellents.

Merry rumina ce jugement pendant une minute tandis qu'au carrefour, le chauffeur insultait deux bus arrêtés et un camion de livraison.

Quand elle prit la parole, elle le fit avec une sincère sensibilité teintée d'amertume :

– S'ils avaient eu du cran, ils l'auraient donné à la Noire.

– Hein? interrogea Liz, sans rien comprendre.

Elle avait passé la matinée à parler style, forme, contenu et sens. Elle n'était pas préparée aux réactions de Merry.

– Ils auraient sûrement voulu le donner à Sharon, dit Merry froidement. Tous les critiques lui faisaient des courbettes et lui léchaient les bottes. Mais comme tu fais partie du jury, ils ont dû te jeter un os à ronger.

Liz se sentit outragée, insultée et devint folle de rage.

– Merde alors! ton livre est légitimement bon et celui de Sharon aussi, et je suis une idiote si je continue à me justifier! conclut-elle en regardant par la vitre.

– Vous n'auriez pas dû partager le prix, cracha Merry. Quand tu as été primée, tu as reçu tout le prix. En entier. Le ruban bleu!

– Cela peut te surprendre, dit Liz en colère, mais nous n'avons pas écrit le même genre de livre.

– Tu veux dire que le mien est plus mauvais que le tien?

– Je veux dire que j'en ai marre et plus que marre de toi et de ta manie de vouloir vivre ta vie dans ma peau!

– Ah! hurla Merry. Si j'avais eu ta peau, j'en aurais pris un peu plus soin.

Le chauffeur actionna son avertisseur. Liz jeta un coup d'œil à Merry qui regardait droit devant elle et soudain, elle éclata de rire.

Cela ne fit que rendre Merry encore plus furieuse.

– Arrête! Je suis en colère et je veux que tu le sois, aussi!

Liz étouffa son dernier rire, puis elle se pencha en avant et tapa sur la glace de séparation :

– Je descends ici, dit-elle.

Le chauffeur acquiesça de la tête et manœuvra l'énorme limousine pour s'écarter du flux de voitures.

– J'ai toujours souhaité écrire; j'ai commencé mon journal à l'âge de huit ans, affirma Merry.

La voiture freina à un stop.

– Merci, dit Liz au chauffeur.

– Cela n'a rien à voir avec toi, ajouta Merry.

Le chauffeur sortit, ouvrit la portière et attendit sur le trottoir.

Liz observa Merry de profil, mécontente et belle, le regard fixe. Bizarrement, elle eut pitié de Merry. Sans raison. Merry avait tout ce qu'elle voulait maintenant, non?

– Merry, prononça Liz d'un ton involontairement patient, sois sincère. Si j'étais devenue pilote d'hélicoptère, tu serais aux commandes d'un Boeing 747 à l'heure qu'il est.

Merry ne tourna pas la tête et garda le silence. Liz descendit de voiture, fit un signe de tête au chauffeur et rejoignit la foule qui avançait sur le trottoir de la 5e Avenue. Elle entendit la portière claquer et la voiture s'éloigner.

11

Liz demanda sa clé et ne fut qu'à moitié surprise quand l'employé la lui tendit accompagnée d'un message. Habituée de longue date à l'auto-discipline, elle s'était arrangée pour occuper son esprit afin d'éviter de se poser la question si oui ou non un jeune homme de vingt-deux ans allait lui téléphoner ou comment il avait passé la nuit. Le prix d'abord, ensuite, cette scène stupide avec Merry dans la voiture : elle avait réfléchi aux entrelacs de leur longue amitié, aux étranges tours et détours de leurs vies respectives, trop plongée dans des réflexions sérieuses pour se demander si Chris s'était manifesté. Quand l'employé de la réception lui tendit le message et sa clé, elle vit inscrit sur la feuille le numéro de téléphone, ô combien familier, de l'hôtel Chelsea.

Elle relut le message dans l'ascenseur et ne ressentit rien d'autre qu'une indéfinissable tristesse.

Je suis fatiguée, se dit-elle, voilà tout. Trop vieille pour passer encore des nuits blanches.

Il restait toujours la possibilité que le veilleur de nuit du Chelsea ait dit « ils » sans faire attention, une façon de se référer aux clients à la troisième personne du pluriel : la plupart des chambres de cet hôtel minable recevaient des tas de gens qui organisaient des orgies chaque nuit. Si, dans cet hôtel, quelqu'un dormait seul, c'était probablement l'exception et le veilleur de nuit ne pouvait s'y attendre, poursuivit-elle. Que l'amour pouvait être ennuyeux!

Elle composa le numéro de Chris avant d'enlever son manteau. Il répondit à la troisième sonnerie d'une voix endormie.

– Tu vas bien? demanda-t-elle.

– Salut, oui. Je suis désolé de ne pas t'avoir appelée. Quelle nuit! Es-tu déjà allée au tribunal, la nuit?

– Pas récemment.

Il parlait à voix basse. Pas encore tout à fait réveillé? Ou y avait-il quelqu'un d'autre dans la chambre qui dormait encore? Arrête, Liz, se gourmanda-t-elle.

– Comment a marché ta réunion? s'enquit-il.

– Bien. Merry et Sharon Gay se partagent le prix.

– Oh très bien! Je sais qu'on est au milieu de l'après-midi, mais que dirais-tu de prendre le petit déjeuner?

– Si tu veux.

– A la cafétéria « Automat » dans vingt minutes environ?

– Oui.

– D'accord.

Il raccrocha. Elle écouta pendant deux secondes le bourdonnement de l'appareil et fit de même.

Elle arriva la première, prit une tasse de café et s'assit à la table où ils s'étaient assis auparavant. Puis elle décida que c'était d'un sentimentalisme ridicule et changea de table. Il entra, échevelé, fit un signe de la main, alla d'abord se servir au comptoir avant de la rejoindre en tenant une petite boîte de céréales froides dans un bol. Il se laissa tomber sur le siège en face d'elle. Elle le regarda verser les céréales dans le bol et compléter avec du lait.

– Comment vas-tu? demanda-t-elle.

Il fit la grimace.

– Je suis vanné.

Elle parla d'une voix calme et amicale, étonnée de l'entendre sonner aussi calme et aussi amicale :

– J'étais inquiète à cause de cette histoire de prison. Debby n'a pas été très claire cette nuit au téléphone.

– Je n'ai dormi que trois heures, pas plus, dit-il.

– As-tu réussi à faire sortir Ginger?

Il secoua la tête, la bouche pleine de flocons d'avoine qu'il avala avant de répondre :

– Ils vont le garder soixante jours. Violation de la parole donnée.

Liz sirota son café.

– Debby doit avoir le cœur brisé, dit-elle d'un ton peu compatissant.

Il haussa les épaules.

– Je le pense, répondit-il entre deux bouchées de céréales craquantes.

– Où est-elle?

Il haussa à nouveau les épaules. Elle aurait préféré qu'il ne fît pas cela.

– Je pense qu'elle dort encore.

Liz alluma une cigarette. Elle exhala la fumée, calme, très calme. Mais c'est d'une voix tendue qu'elle dit :

– Merry ne m'a pas annoncé qu'elle était rentrée.

Il leva la tête et la regarda.

– Rentrée où?

Comme s'il n'avait pas la moindre idée de ce qu'elle voulait dire. Je déteste vraiment toute cette conversation, pensa-t-elle.

– Rentrée chez sa mère.

– Oh non! elle n'est pas là-bas.

Zut! Liz avait la main qui tremblait. Elle reposa sa tasse.

– Où dort-elle? interrogea-t-elle, très calme.

– Dans ma chambre, répondit-il, comme si cela n'avait aucune importance pour l'un ou l'autre.

Mais cela en avait pour elle. Et elle ne put le cacher.

Il opina de la tête.

– Sur le canapé.

– Comme c'est bizarre.

Il sembla surpris.

– Hein?

Liz écrasa sa cigarette.

– Elle aurait pu venir à mon hôtel. Il y a un canapé chez moi aussi.

– Elle allait rentrer chez sa mère, mais tu sais comment c'est.

Il termina ses céréales et repoussa le bol.
– Non, dit Liz avec précaution, comment est-ce?
Il la regarda.
– Tu es contrariée?
– Je suis contrariée pour Debby, toute seule et sans endroit où aller. Ton hôtel aurait pu être complet ou bien, elle aurait pu ne pas vouloir te déranger.
– Tu sais bien que le Chelsea n'est jamais complet, remarqua-t-il avec une logique exaspérante.
– Comment pourrais-je le savoir? Il y a des semaines que je n'ai pas consulté leur registre.
– Seigneur! je n'avais aucune envie de te raconter tout ça.
– Tout quoi? Y a-t-il quelque chose que je n'aurais pas dû apprendre?
– Oui, car je savais que tu prendrais la mouche, dit-il judicieusement.
Les hommes font ça. Ils disent quelque chose dont ils savent que ça va te rendre chèvre et quand tu réagis normalement, c'est-à-dire que tu deviens chèvre, ils deviennent très calmes et prennent un air supérieur pour souligner combien tu es émotive et stupide. Elle était assez sensée pour ne pas tomber dans le piège.
– Je n'ai jamais été plus calme. C'est toi qui es devenu sensible avec ta soudaine compassion pour des gamines qui fuguent. A moins que tu ne te sentes de leur bord?
– Tais-toi, veux-tu? demanda Chris, posément.
Elle se tut, alluma une autre cigarette.
– Pourquoi ne voulais-tu pas qu'on te téléphone? Pourquoi tout ça?

Il avala une gorgée du café de Liz auquel elle n'avait presque pas touché.

– Debby et sa mère s'étaient disputées. Elle devait rappeler.

– Elle savait que Debby était chez toi?

– Ouais, ce n'était pas un grand secret.

– Et si c'était moi qui devais appeler?

Chris repoussa la tasse vers elle. Le café froid avait des reflets pourpres.

– Pourquoi dois-je me défendre? demanda-t-il.

Il semblait en colère, maintenant; il se contrôlait, mais il était manifestement touché.

– Et si j'avais essayé de t'appeler pour te dire que j'avais passé la nuit blanche, à examiner tes propositions, tu te souviens, tes propositions si insistantes...

Il s'écria à voix haute :

– Tais-toi.

Quatre ou cinq clients se trouvaient dans la cafétéria. La voix de Chris porta et ils s'aperçurent qu'on les regardait. Il baissa le ton et dit, mécontent :

– Tu avais refusé. Nous n'allons pas nous battre à mort.

– Excuse-moi, murmura Liz.

Chris lui lança un regard noir.

– Tout ce que j'ai dit, c'était que je voulais me marier avec toi. Tu n'avais pas à être si hostile.

Il sembla à nouveau blessé et délicieux; elle sut qu'elle était encore vulnérable et cela l'irrita de se sentir vulnérable, effrayée et stupide.

– Alors, conduis-toi en homme et cesse les hostilités, dit-elle sèchement.

Les yeux de Chris brillèrent dangereusement.

– Les hostilités cessent lorsque l'un des camps se rend.

– C'est ce que signifie le mariage pour toi, une reddition? rétorqua-t-elle.

– Quel est le con qui a parlé de mariage? grogna-t-il.

– C'était toi, avant que tu n'ouvres une auberge de jeunesse.

Ils se toisèrent et peut-être sa colère à elle et sa blessure à lui auraient-elles pu se dissiper et aboutir à une compréhension plus profonde...

– Je peux me joindre à vous, les copains?

L'arrivée de Debby ne pouvait tomber plus mal. Un instant, Chris et Liz continuèrent à se fixer, mal à l'aise, hésitants. Cela ne dura qu'une fraction de seconde mais Debby s'en rendit compte.

– Vaut mieux pas, hein?

Liz se tourna vers elle. Debby n'avait apparemment pas souffert de sa nuit sans sommeil. Le teint frais, les yeux brillants, elle était en pleine forme. Elle portait un jean étroit dans des bottes de cow-boy, un gros pull à col roulé et une veste en tweed. Elle aurait pu servir de couverture à un journal consacré à la santé du corps et de l'esprit.

– Désolée, chérie, dit Liz rapidement, nous sommes...

– Pas de problème, répondit Debby avec un sourire chaleureux et compréhensif. Je ferais mieux d'aller raconter tout ça à maman. (Elle regarda Chris.) J'te téléphone plus tard. Et merci. Tu m'as sauvé la vie.

– Ouais, marmonna Chris.

Debby posa un baiser rapide sur la joue de Liz.
– Au r'voir, tante Liz.

Pourquoi donc le fait de s'entendre appeler « tante Liz » lui donna-t-il l'impression soudaine d'être assise là, enveloppée d'un châle défraîchi et couverte de rides... Tante Liz... sois gentille avec cette chère vieille tatie... Merde! ça fait mal, très mal. Ce n'était pas la faute de Debby. Liz la gratifia d'un sourire affectueux pour camouffler sa réaction secrète.

– Au revoir, chérie.

Debby se précipita au dehors. Chris contempla la table. Liz l'observait.

– Je prends la route. Avec Fleetwood Mac. Je dois faire une interview.

– Oh?

A présent, c'était à son tour de contempler la table en formica. « Je devrais peut-être me lever et partir. Retourner dans le Connecticut et apprendre à allumer la cheminée moi-même. L'hiver sera long. »

– Debby part avec moi, poursuivit-il, l'air malheureux. Comme assistante. Elle est incluse dans le budget et le gars qui me secondait habituellement...

Il renonça et haussa les épaules. Liz s'aperçut qu'elle était restée assise et secouait la tête. Celle qui Comprend Tout. La Vieille Tatie Liz.

– Debby veut quitter la maison, finit-elle par dire. Je pense que c'est une bonne idée, Chris.

Chris leva les yeux vers elle, manifestement peu convaincu de sa sincérité. Mais elle était sincère, elle était sûre de l'être.

– C'est mieux que bien, dit-elle d'un ton pensif, c'est fantastique, sincèrement.

– Ouais?

Elle opina de la tête, épanouie. Puis elle allongea le bras et lui toucha doucement la main.

– Accorde-moi une faveur.

– Quoi?

– Ne me dis pas que nous allons rester bons amis. Nous ne pouvons l'être. Si je ne peux pas te garder comme amant...

– Comment peux-tu en être si sûre? demanda-t-il rapidement.

Liz lui sourit très tendrement. Il était si adorable et elle savait exactement comment s'y prendre dans ces cas-là. L'expérience servait parfois à quelque chose.

Elle retira son bras, se pencha et lui parla aussi gentiment qu'elle le pût.

– Nous devons reconnaître qu'en un certain sens, je suis plus mûre que toi. J'ai vu quelques ruptures. Et ceci en est une.

Il était blessé.

– Je voulais quelque chose de toi.

– Je sais.

Il la regarda.

– Tu me mets vraiment en colère.

– Je sais.

Ils gardèrent le silence une minute environ. Il baissa à nouveau les yeux sur la table.

– Accorde-moi une autre faveur, ajouta-t-elle. Ne pense plus à mon interview.

– Pourquoi?

Ce fut son tour de hausser les épaules. Peut-être

était-ce chez lui qu'elle avait contracté cette manie.

– Je ne souhaite pas la lire. Nous avons écrit ensemble des pages sensationnelles, Chris, et je le pense réellement. Mais c'est une édition privée. Ne la rends pas publique.

Il acquiesça et eut ce petit sourire en coin qui montrait qu'il comprenait.

– Tu parles bien, tu sais, dit-il.

– Comme le disait mon vieil ami Yeats : « Quand nous serons vieux et grisonnants, hochant la tête auprès du feu, nous prendrons ce livre et nous le lirons lentement. »

Chris approuva.

Elle se leva et prit son manteau posé sur le dos de la chaise. Elle se pencha, embrassa rapidement Chris sur la bouche. Un petit gémissement s'échappa de la gorge du jeune homme et, un bref instant, elle se dit qu'elle ne pourrait pas partir; puis, elle se détourna, se dirigea vers la porte et sortit dans la rue. Elle s'y entendait rudement bien en matière de rupture.

Elle n'avait aucune raison de passer une autre nuit dans cet hôtel. Si elle se dépêchait, elle pourrait attraper le train de 6 h 40. Et se retrouver devant sa machine à écrire le lendemain matin, délivrée de toute émotion perturbatrice. Noël en ville, quelle bonne blague! Ces comités littéraires à la noix, l'amour et les sentiments, de belles blagues aussi. Retourne travailler, Tatie Liz, écris ton livre et mène ta barque. Sans jamais regarder en arrière. Ni en avant d'ailleurs. Elle héla un taxi et lui demanda de foncer à toute allure jusqu'à l'hôtel Algonquin car elle avait un train à prendre.

Elle jeta sa valise sur le lit et y entassa le contenu de la penderie et des tiroirs. On sonna à la porte : elle alla ouvrir, les bras chargés de chaussures, sans cesser de penser : c'est peut-être lui, il aura changé d'avis. Ce n'était pas Chris; néanmoins, elle fut heureuse d'avoir pensé que ça aurait pu être lui.

Merry s'abattit sur Liz telle une horde de visons, encore plus furieuse que lors de leur dernière entrevue dans sa voiture. Elle entra dans la chambre comme un tourbillon et dit d'un ton accusateur et plaintif à la fois :

– Mais tu fais tes bagages!

– Exactement!

– Tu t'en vas?

– Je pars dans le Connecticut. Je quitte cette agitation insensée, je retourne travailler.

Merry ne put le croire.

– Et ma réception? Je n'ai reçu que la moitié de ce satané prix et ça ne vaut sans doute pas la peine de faire une fête, mais bon sang, Liz, tu ne vas pas manquer ma réception!

Liz déposa les chaussures dans sa valise. Elle s'assit lourdement sur son lit.

– Désolée, Merry, j'allais t'appeler juste avant de partir.

– Oh bravo! Merci beaucoup.

– Merry... oh! Merry, j'ai le cafard. J'aurais voulu t'épargner ça.

Merry la dévisagea d'un air dur et impitoyable. Elle se tenait debout, royale, riche et célèbre, toutes choses qu'elles avaient toujours souhaitées..., et désespérément malheureuse.

– Liz, dit-elle, je crois que nous arrivons à un point décisif de notre vie et que nous devons reconsidérer les termes de notre amitié.

Liz acquiesça. Puis, elle se leva et alla à la coiffeuse. Elle ouvrit le tiroir, prit tous les sous-vêtements, cosmétiques, brosses, bas et chemisiers qu'elle put porter.

– Tiens ça, dit-elle.

Merry la déchargea d'une partie des affaires. Liz plaça chaque chose dans la valise et tendit le bras pour ranger les collants que Merry tenait à la main.

– Merci.

Merry ne les lâcha pas. Les collants s'étirèrent. Liz tira d'un côté et Merry s'accrocha de l'autre. C'est une farce, se dit Liz, une farce des Marx Brothers.

– Lâche ça, murmura-t-elle, mais Merry tenait bon, comme une enfant têtue et Liz fut obligée de faire ce qu'elle essayait d'éviter : regarder Merry en face.

Merry semblait réellement bouleversée. Pas seulement en colère, ni même furieuse; c'était sérieux. Elle avait l'air d'avoir perdu – d'être sur le point de perdre? – sa meilleure amie... Mais Merry dramatisait toujours.

– Merry, je suis réellement désolée pour le prix. Mais, sincèrement, ce n'est pas la pire chose qui puisse arriver. Il y aura beaucoup de publicité.

Merry lâcha les collants. Ils s'étirèrent dans les mains de Liz jusqu'au sol, pauvres choses inertes.

Elle les enroula soigneusement et les lança violemment en direction de la valise.

– Oh! le prix... dit Merry. De l'eau a coulé sous les ponts depuis.

Bien sûr! Merry avait des choses plus importantes en tête; comment avait-elle pu oublier?

– Comment va Doug? interrogea Liz d'un air coupable.

– Oui, vraiment, beaucoup d'eau a coulé depuis, répliqua Merry d'un ton hautain.

Oh zut!

– Il boit encore? demanda Liz, tristement.

– Sobre comme un chameau.

Liz retourna à ses bagages.

– A quoi ressemble-t-il aujourd'hui? questionna-t-elle sans conviction.

Merry répondit de l'air d'une petite fille qui feint de s'en moquer.

– Il va se marier.

Liz leva les yeux rapidement sur elle. Merry semblait bien, faible mais fière.

– Quelqu'un que nous connaissons?

– Elle s'appelle Joyce. Elle est de Houston.

– Oh pauvre Merry! Quelle journée!

Liz s'approcha, posa sa main sur elle en guise de réconfort, mais Merry recula.

– Ils ont acheté une maison. Avec un jardin.

D'accord, si c'était le jeu qu'elle voulait jouer. Deux personnes qui discutent froidement d'une troisième dont on ne s'était pas beaucoup soucié.

– Ça semble merveilleux.

Elle reprit ses bagages.

– Oui? demanda Merry, calmement.

– Bien sûr, une maison avec un jardin. C'est épatant.

– Depuis quand? interrogea Merry.

Liz s'efforçait de faire entrer ses livres dans la valise. Pourquoi donc la même quantité d'affaires ne pouvait jamais entrer deux fois dans la même valise?

– Je ne suis pas immunisée contre la séduction d'un homme et d'un jardin.

La réponse de Merry fut rapide et crispée.

– De Doug? Plus spécialement de Doug avec un jardin? demanda-t-elle de l'air d'un avocat général qui dévoile une évidence depuis longtemps tenue secrète.

– Je n'ai jamais pensé à ça.

Merry ricana.

– Jamais pensé à Doug comme à un mari aimant?

– Jamais.

Merry lança un rire qui se voulait moqueur, mais qui aurait pu être un sanglot.

– En même temps que son aptitude à boire, il a perdu celle de mentir. Et n'évite donc pas mon regard, ajouta-t-elle.

– Je suis occupée à fermer ma valise.

– Je sentais dès le début qu'il y avait quelque chose qu'il ne voulait pas me dire. Je lui ai offert à boire. Un seul verre et les mots ont jailli.

– Tu lui as offert à boire, toi?

Liz s'assit sur sa valise qui refusait de fermer et regarda son amie.

– Quelle confession minable et dégoûtante! dit Merry. Moi, l'épouse confiante, qui me blâmais d'avoir pendant des années laissé mon époux se détacher lentement mais sûrement de mes bras pour se blottir dans ceux...

– Doug ne s'exprime pas ainsi, observa Liz.

– N'est-il pas vrai que toutes ces années où nous étions mariés, il te manifestait son amour?

Liz secoua la tête.

– Il en a parlé, dit-elle franchement.

– Pendant que nous étions mariés?

– Oui, à la fin.

– Et il t'a fait une proposition?

– Je l'ai refusée.

Merry se mit à aller et venir.

– A cause de ton amitié pour moi? demanda-t-elle, les yeux fixés sur le mur.

Elle tourna en rond en attendant la réponse.

– Je te devais ça, répondit Liz, et elle descendit de la valise qui ne fermait toujours pas.

Elles se toisèrent.

– Et sans cette étrange entorse à la morale, tu aurais accepté, n'est-ce pas?

Liz, plus en colère qu'elle ne l'aurait pensé, rétorqua :

– Il méritait sûrement mieux que ce qu'il a eu.

Merry s'avança, ne s'arrêta qu'à quelques centimètres de Liz et regarda son amie dans les yeux. Elle parla lentement.

– Comment sais-tu ce qu'il a eu? Te l'a-t-il raconté?

Liz se détourna. Elle pourrait demander à l'hôtel de faire un paquet de ses livres et de les lui expédier.

– Liz, tu ferais mieux de me le dire.

– Si tu as des révélations tout aussi minables et

dégoûtantes à faire, Merry, je t'en prie, garde-les pour ton journal ou pour tes romans, c'est du pareil au même!

Merry s'éloigna, se remit à aller et venir tout en parlant d'un ton coléreux :

– Tout le monde est heureux. Doug et sa Joyce. Toi et ton petit jeunot. Vous pourrez avoir une double cérémonie.

Liz se laissa tomber sur le lit, près de la valise et la pile de livres s'écroula. Tant pis.

– Si tu veux parler de Chris, il est parti.

– Où? demanda Merry d'une voix coupante.

Liz sourit. Elle maniait l'ironie quand elle était atteinte au vif.

– Dans les bras de celle que tu pourrais appeler banalement l'autre femme.

– Qui?

Liz l'observa.

– Debby.

– Ma Debby? C'est absurde.

– C'est ce que je me suis dit. Ils ont à peu près le même âge. Ça ne peut pas marcher.

– Je vais y mettre un terme, menaça Merry.

– Il ne manquerait plus que cela. Chris lui a trouvé du boulot. Avec ma bénédiction.

Les yeux de Merry se plissèrent.

– Eh bien, mais cela complète le tableau! s'exclama-t-elle.

Liz opina de la tête.

– Oui, je le pense, mais comme c'est triste.

– Tout ce que j'ai eu, j'ai dû le partager. A cause de toi, Liz. Mon prix, ma fille, mon époux. Ai-je quelque chose à moi?

Elle était au bord des larmes, mais ne faisait que s'apitoyer sur elle-même.

– Ta bile, rétorqua Liz.

– Ma colère légitime, corrigea Merry en reniflant.

– Quel prêcheur tu fais.

Merry préféra la colère aux larmes.

– Parce que je n'ai pas une mentalité de dégonflée?

– J'éprouve un grand respect pour les mentalités de dégonflés, dit Liz le plus dignement possible.

Elle ferma brusquement sa valise sans les livres.

Quand Merry se sentait réellement émue, sa façon de parler retrouvait les saveurs de son Sud natal et son ton montait comme le bon pain au maïs de son enfance. Elle prononça de sa voix traînante cette formidable expression bien de chez elle :

– Si quelqu'un piétine tes plates-bandes, fous-le dehors.

Liz approuva, l'air morose.

– C'est d'une franchise rafraîchissante.

– Pourquoi? Si on les laissait faire, ils y introduiraient des serpents, déclara Merry.

– Je n'ai jamais essayé les serpents.

– Un miracle.

Les yeux de Liz lancèrent des éclairs. C'en était trop.

– Alors, je suis une salope?

Merry resta sur ses positions.

– C'est toi qui l'as dit.

– Et que veux-tu prouver? insista Liz, furieuse.

– Dis-moi, Liz, combien d'hommes as-tu eus?

Liz la regarda.
– C'est le test?
– Combien?
Quelle discussion stupide. Cela ne les mènerait nulle part. Elle allait manquer son train. Pourquoi n'avoir pas laissé tomber Merry et sa bêtise?
– Combien, avant d'être devenue une salope? demanda Liz.
– Combien, en plus de mon mari?
Liz soupira.
– Laisse-moi réfléchir... trois marins et un jockey. Mais jamais ton mari, ajouta-t-elle sérieusement.
Elle entra dans la salle de bains et revint les mains pleines de pots et de tubes qu'elle mit dans son petit fourre-tout avec sa brosse à dents.
– Ce que, d'ailleurs, je regrette profondément, lança-t-elle, perfide.
Merry sembla grandir sous l'effet de l'indignation. Elle prononça d'un ton parfaitement délibéré :
– Ce qui m'étonne, c'est que tu ne te doutes pas le moins du monde à quel point je te hais.
Frappée par le mot, Liz la dévisagea. En dépit de tout ce qu'il y avait eu entre elles, de toutes les émotions qui avaient aiguillonné, ébranlé et marqué leur amitié durant toutes ces années, jamais le mot « haïr » n'avait été prononcé.
– Et ce n'est pas à cause de ta jalousie envers mon œuvre, poursuivit Merry froidement.
Bon, c'était ça. Liz voulut rire, mais son rire se transforma en une sorte d'horrible ronflement.
– Oh Jésus! ton œuvre, grommela-t-elle.
– ... mais à cause de ton manque de sensibilité qui t'empêche d'apprécier ce que représente pour moi

la perte de Doug, termina Merry qui ignora la remarque de Liz.

– Moins que rien.

– Menteuse.

– Juste la perte d'une possession. Tu as perdu davantage en ne possédant plus cet ours.

Elle regarda le vieil Hamburger, toujours le dernier dans ses bagages, qui, assis sur le lit, les regardait tristement de son unique œil en bon état.

– Voilà au moins une de mes choses que tu ne garderas pas, dit Merry.

Elle s'approcha du lit, repoussa Liz et attrapa le vieil ours en peluche par une patte.

– Prends-le, lança Liz. Il ne parlera pas, lui. Tu n'as pas besoin de lui dire que tu le hais. Il n'entendra pas toutes tes outrances répugnantes...

Merry recula, l'ours bizarrement serré dans ses bras couverts de fourrure.

– Je ne suis pas ce genre de femme! hurla-t-elle.

– Tu as raison, tu n'en es qu'une petite partie.

– Ce qui veut dire?

Elles s'affrontèrent, prêtes à se battre, et c'est alors que Liz lâcha le mot. Merry avait déjà mis fin à leur amitié en disant qu'elle la haïssait; peut-être, était-il impossible que deux filles parvenues à l'âge mûr puissent continuer à éprouver l'une envers l'autre confiance, amour ou âneries de ce genre. Si elles en arrivaient à se faire mal, où était donc leur amitié? Elle avait sans doute compté un jour, mais c'en était fini maintenant. Bon débarras.

– Alors, quelle est cette « petite partie »? demanda Merry. Vas-y, dis-le!

– Le con, lâcha Liz.

Merry frappa Liz avec la seule chose qu'elle ait eue sous la main, le pauvre Hamburger. Il atterrit sur la tête de Liz et lui fit mal, Liz bloqua l'ours dans ses mains mises en avant pour se protéger. Elle voulut envoyer l'ours au loin, mais son coude atteignit vivement la joue de Merry qui, étourdie sous le choc, tomba à la renverse sur le fauteuil. Hamburger pendouillait dans sa main.

Liz voulut prendre l'ours. Merry résista et le tira par une patte. Liz donna un coup sec, mais Merry tint bon.

La patte se détacha du pauvre corps fatigué.

– Tu vois! gémit Merry.

Comme si c'était la faute de Liz! Elle était si furieuse qu'elle étreignit le pauvre ours mutilé comme s'il s'agissait d'un enfant mort. Merry bondit et lui arracha à nouveau Hamburger. Elle tira à pleines mains.

L'estomac de l'ours se déchira avec un bruit terrible et tout son bourrage se déversa par touffes dans la pièce. Une partie s'accrocha au pull de Liz, une autre tomba par terre, des petites touffes se répandirent également sur le manteau de Merry. Les morceaux du pauvre Hamburger se répandirent partout, pauvres intestins blancs. Ses cheveux frisés restèrent dans les bras de Liz. Ce n'était plus un ours. Ce n'était plus rien, un chiffon vide.

Liz ne put s'en empêcher. Elle n'avait presque jamais pleuré auparavant, mais brusquement, les larmes se mirent à jaillir et coulèrent le long de ses joues; son visage se déforma sous le chagrin et tout – absolument tout – était mort, déchiqueté, il n'y avait plus rien dans sa misérable vie complètement vide...

Merry la regarda pleine d'un étonnement mêlé d'angoisse.

– Saleté! Saleté! Saleté!

Pour une fois, sans parole, Merry recula. Elle n'avait jamais vu Liz dans cet état. C'était effrayant, terrible. Liz, la plus forte, l'intrépide et brillante Liz, la meilleure, pleurait sans pouvoir se retenir. C'était elle qui avait été détruite et non Hamburger. Merry marcha à reculons jusqu'à la porte. Elle hésita, voulut dire quelque chose pour arrêter le flot de larmes, mais c'était trop tard.

Elle sortit de la chambre, prit l'ascenseur, traversa le hall de l'hôtel et regagna sa voiture.

12

Merry avait convaincu le décorateur le plus recherché de New York d'arranger son appartement pour sa réception. Aucun de ces habituels festons de serpentins ou symboles diaprés de la nouvelle année comme des clochettes en argent ou des chapeaux en papier : c'était une maison où régnaient le goût, l'intelligence et la culture. L'hôtesse venait de recevoir l'un des prix littéraires les plus prestigieux du pays. Le fait qu'elle le partageait avec une autre lauréate ne serait pas mentionné cette nuit-là excepté quelques chuchotements dans les coins ou les toilettes où, en réalité, les dames qui entraient et sortaient ne parlaient que de cela.

Des nappes rondes damassées recouvraient les tables jusqu'au sol; les fauteuils rouges s'harmonisaient avec les centres de tables garnis de très grosses fraises fraîches en provenance d'une serre de Californie, cueillies dans la nuit et livrées le matin même. Le cristal pétillait autant que le champagne qui, lui, coulait à flots; l'argenterie reflétait les visages des admirateurs et admiratrices riches, célèbres, élégants, mondains et cultivés qui se pressaient dans l'appartement et présentaient leurs vœux de Nouvel An, pleins d'un sentimentalisme jovial.

– Où est Merry? demanda l'un d'eux. Je ne la vois pas.

– Je crois qu'elle téléphone dans l'autre pièce. Je l'ai entendu sonner. C'est comme ça quand vous êtes lauréat.

– Certains pensent qu'elle l'a mérité. Le livre était vraiment bon.

– Réellement?

– Vous voulez dire que vous ne l'avez pas lu?

– Jésus! vous plaisantez? Personne n'a le temps de lire dans les maisons d'éditions!

– Vous ne devez donc pas vous tenir à jour à cause de la concurrence?

– Ah l'innocent! Laissez-moi vous offrir un autre verre de champagne et je vous raconterai comment ça marche. Maintenant que les conglomérats ont repris le dessus, tout n'est que business...

– Où est notre hôtesse? Je voudrais porter un toast à *Cuisine familiale.*

– Oh ça va! goûtez plutôt ce pâté de faisan. Elle l'a fait venir de Normandie, m'a-t-on dit.

– Allez la chercher, Jules, tout le monde veut parler à Merry. Où est-elle, Bon Dieu?

– Oui, allez la chercher. Elle va rater sa propre réception!

Jules la trouva dans sa chambre à coucher. Elle ne téléphonait pas mais était assise, calmement, au bord du lit sur lequel étaient entassés des montagnes de visons et d'imperméables masculins. La chambre baignait dans une demi-obscurité.

– Merry? Que faites-vous ici, toute seule? Tout le monde vous réclame.

– Dans une minute, Jules.

– Vous semblez plutôt mélancolique pour une femme qui devrait être heureuse. Quelque chose ne va pas?

– Vous dites?

– Vos invités vous attendent, Merry.

Jules était habitué aux excentricités des auteurs, mais admettait mal toute brèche à l'étiquette.

Il approchait du lit, lorsque la servante entra, les bras pleins de fourrures qu'elle posa respectueusement au-dessus des autres avant de ressortir. Par la porte ouverte leur parvinrent des bruits de voix et des rires. Puis, cela se calma un peu.

– Vous allez bien, Merry? demanda Jules avec sollicitude.

Elle le regarda. Jamais il ne lui avait vu cet air si triste. Elle secoua la tête, lui adressa un petit sourire et se leva. Elle ouvrit son armoire à glace, prit son manteau et l'enfila.

– Merry?

Elle passa devant lui, s'arrêta pour l'embrasser et lui dire « Bonne année, Jules ». Elle sortit majestueusement de la chambre et il la suivit, ahuri.

Merry, le manteau déboutonné, se fraya un chemin à travers la foule des invités qui convergèrent vers elle. Souriante et déterminée, elle se dirigea vers le bar que le décorateur avait astucieusement installé autour du piano demi-queue. Ignorant les protestations, les prières et les baisers, elle enleva du seau en argent une bouteille de champagne déjà ouverte, prit la serviette posée sur le bras du barman, l'enroula autour de la bouteille froide et humide, mit le tout contre elle et recula vers l'entrée, toujours très entourée.

– Où allez-vous? demanda Jules sur un ton qui exigeait une réponse.

– A une réception, répondit-elle et elle sortit.

– Que se passe-t-il? questionna quelqu'un à voix haute.

– Quelle conduite bizarre!

– Ecoutez, vous pouvez faire ce que vous voulez quand vous êtes riche et célèbre comme elle. De toute manière, le champagne est bon et... avez-vous essayé le caviar?

– A Merry et à son absence!

– Je vais boire à ça!

La réception se poursuivit comme elle le prévoyait, même si cela lui importait peu. Elle dut prendre un taxi. Son chauffeur avait eu congé pour la nuit; elle aurait été incapable de conduire cette grosse voiture, même si elle avait su où se trouvaient les clés.

Héler un taxi le soir du réveillon du Premier de l'An était une gageure. Le portier l'aida, bien sûr, mais cela prit un bon moment et il faisait froid, dehors, sur la 5e Avenue. Elle aperçut des invités qui arrivaient à sa réception : deux critiques du *Times* et leurs épouses. Elle se détourna pour ne pas être vue. Finalement, le portier lui trouva un taxi. Le chauffeur ne pensait pas que le Connecticut se situait au bout du monde et il accepta de l'y conduire après quelques négociations difficiles – entrecoupées de récriminations – et à un tarif substantiel, fixé à l'avance.

La course dura très longtemps. La radio du taxi avait un haut-parleur juste derrière l'oreille de Merry et le chauffeur chanta en même temps que Guy Lombardo tout le long du trajet. Il semblait connaître toutes les paroles, même *Hut Sut Ralson on the Rilleraw*. Merry s'enveloppa dans son manteau et serra la bouteille en espérant qu'elle ne se renverserait pas. Elle regarda par la vitre, mais ne rencontra que l'obscurité et un poste de péage, ce qui l'obligea à fouiller dans sa poche pour de la monnaie.

Après quelques erreurs, ils finirent par trouver la maison et s'arrêtèrent juste devant. Il y avait de la lumière à l'intérieur. Pour la première fois, Merry réalisa que Liz aurait pu ne pas être là. Après tout, c'était le réveillon et elle aurait pu aller... chez des amis dans les environs. Si Liz était chez elle, elle avait entendu la voiture, devait mourir de curiosité et se demander qui avait pu venir jusque-là dans un taxi de New York. Merry régla le chauffeur, y ajouta un pourboire et descendit. Elle oublia de fermer la portière arrière. Elle entendit le chauffeur jurer au moment où il sortit de voiture et claqua violemment la portière. Elle se trouvait déjà sur le sentier enneigé qui n'était pas damé. Ses escarpins allaient être abîmés. La porte, une de ces pittoresques portes de fermes hollandaises, comprenait une partie supérieure et une partie inférieure.

Elle frappa bruyamment, appela Liz et recommença à frapper.

– Entre, entendit-elle finalement.

Elle poussa la porte, les deux parties s'ouvrirent en même temps.

Liz était blottie, les pieds ramenés sous elle, dans l'un des deux grands fauteuils, près de la cheminée. Un bon feu pétillait gaiement. Elle ne sembla ni surprise ni contente. Elle était seule. Elle ne lisait pas, ne regardait pas la télévision, n'écoutait pas la radio. Elle fumait simplement une cigarette et semblait heureuse. Plus ou moins.

Merry secoua la neige de ses chaussures, enleva son manteau, sans lâcher la bouteille de champagne toujours enveloppée dans la serviette. Elle n'en renversa pas une goutte. Un portemanteau désuet se trouvait dans l'entrée et elle accrocha sa fourrure sur les autres vêtements.

– As-tu une idée du prix du taxi de New York à ici? Quatre-vingt-dix dollars. Quatre-vingt-dix! Et je lui ai donné cinq dollars de pourboire. Je pense que c'était suffisant, hein?

Liz ne répondit pas. Elle regardait le feu comme si c'était la chose la plus intéressante au monde.

Merry s'assit dans l'autre fauteuil. Elle se renversa en arrière, étendit ses jambes, fit sauter ses chaussures et remua ses doigts de pied mouillés pour les réchauffer au bon feu de cheminée.

– On n'est pas bien?

Liz n'avait pas encore prononcé un mot depuis l'arrivée de Merry.

– As-tu des verres? demanda Merry et elle montra la bouteille entourée de la serviette détrempée.

Liz jeta sa cigarette dans le feu et se leva. Elle alla à la cuisine.

– J'ai détesté ma réception! cria Merry.

Liz revint une minute plus tard avec deux verres à vin. Elle gardait toujours le silence. Merry prit les verres, en posa un par terre et versa du champagne dans l'autre. Elle tendit timidement le verre plein à Liz qui le prit solennellement.

– Merci.

Encouragée d'entendre enfin la voix de Liz, Merry remplit le second verre qu'elle garda à la main.

– Je ne sais pas comment m'y prendre pour faire des excuses. Je pense que je n'en ai jamais fait, d'ailleurs. Mais je suis en train de m'excuser en ce moment.

– Ce n'est pas nécessaire, dit Liz.

– Oui, je dois le faire. Je ne peux te haïr. Et même si cela m'arrivait, je ne devrais pas te le dire. Tu es ma plus vieille amie. Qu'avons-nous d'autre dans la vie?

Liz approuva de la tête.

– Nos plus vieux ennemis.

Merry acquiesça et remarqua :

– A mesure que les années passent, chérie, on s'aperçoit que c'est du pareil au même.

Liz sirota son champagne et fit la grimace à cause de son goût amer et fade. Merry goûta le sien.

– Il est infect, non?

Liz approuva et avala une autre gorgée, les yeux fixés sur le feu.

– J'ai pensé à nous, dit-elle.
– Vraiment?
– Nous sommes formidables.
Elle sourit, leva son verre en direction de son amie et but un peu.
– Ne dis pas ça, commenta Merry.
– Nous avons accompli une foule de choses dans notre vie. Dans nos deux vies. Nous méritons une pause.
– Et nous ne devrions plus nous disputer, ajouta Merry.
– Tu as raison. Sais-tu ce que nous devrions faire? Prendre une année de congé, naviguer dans les îles grecques. Ne coucher qu'avec des gars qui ne peuvent pas prononcer notre nom. Des Grecs.
– Je suis incapable de faire ça, répondit Merry d'un air pensif.
– C'est simple. On va là-bas et on laisse aller.
– Je ne saurais pas comment commencer. Qu'est-ce que je dirais?
Elle examinait la proposition très sérieusement.
– Toute ma vie, j'ai souhaité que les hommes trouvent quelque chose de mystérieux et de séduisant dans mon œuvre, un sentiment de poésie, songea Liz à voix haute.
– Moi aussi, soupira Merry.
Liz lui jeta un coup d'œil incrédule, puis ses yeux se posèrent à nouveau sur le feu neutre et réconfortant.
– Je veux maintenant qu'ils trouvent de la poésie dans mon corps et qu'ils oublient mes livres.
Merry acquiesça et elles restèrent assises, plongées dans leurs pensées, au chaud et bien ensemble, sans avoir besoin de parler.

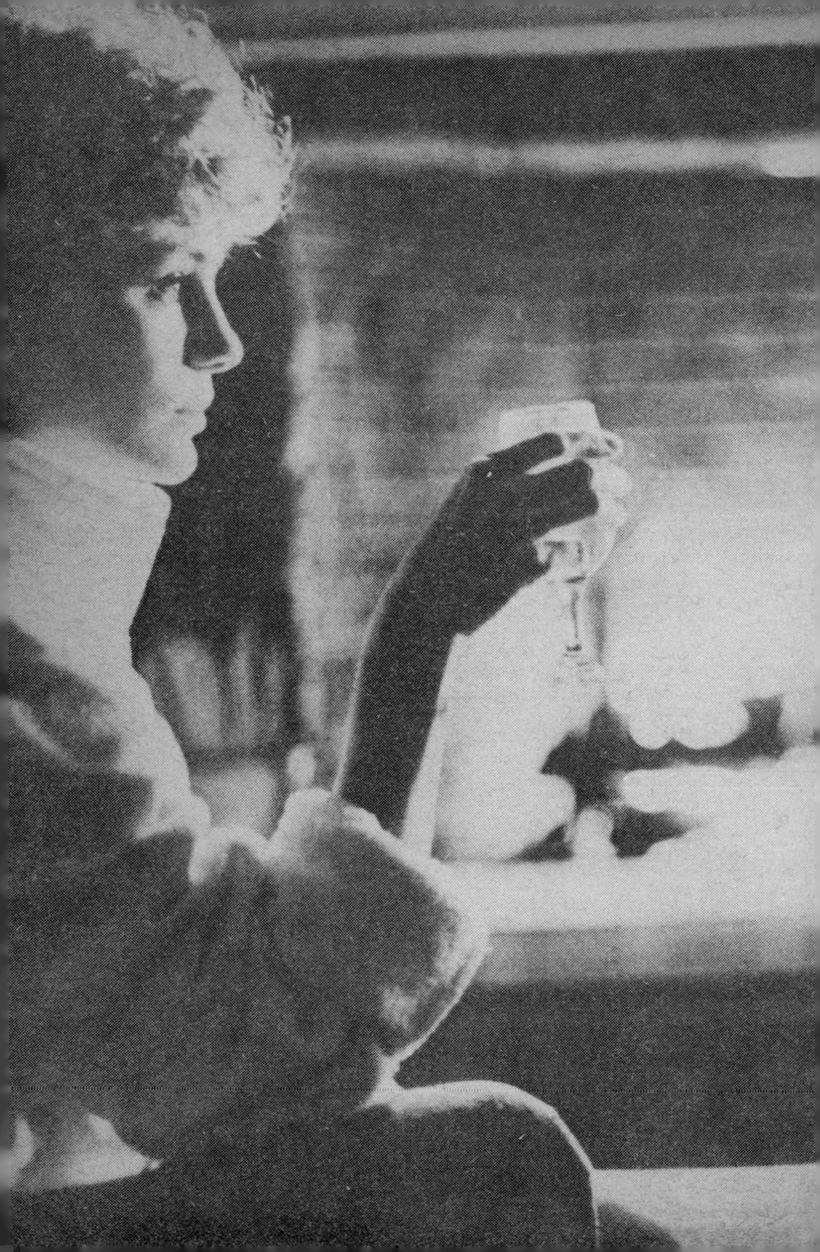

La vieille horloge commença à carillonner. Elles la regardèrent. Les aiguilles étaient l'une sur l'autre. Minuit.

Merry leva son verre d'une main qui ne tremblait pas et porta un toast silencieux à Liz. Elles écoutèrent le carillon qui annonçait solennellement l'année nouvelle. Elles ne prononcèrent pas un mot avant que l'écho de la vieille horloge se fût évanoui et qu'il ne restât plus que le doux tic-tac familier.

– Merry, accorde-moi une faveur, dit Liz d'un ton rêveur.

– Quoi?

– Embrasse-moi.

Tic-tac, tic-tac. Merry essayait de se demander si elle devait être choquée.

– Après toutes ces années, tu ne vas pas me dire que tu as des mœurs bizarres?

D'une voix très basse et très naturelle, Liz expliqua ce qui lui tenait à cœur.

– C'est le réveillon du Jour de l'An. Je souhaite sentir un contact humain et tu es le seul être humain ici. Alors, tu veux bien m'embrasser?

– Tu es sérieuse, murmura Merry.

Elles se regardèrent. Le feu dansait entre elles. Leurs fauteuils n'étaient pas si éloignés. Elles se penchèrent l'une vers l'autre et s'embrassèrent sur les lèvres doucement.

Liz prit son verre de champagne. Elle le leva en direction de Merry qui en fit autant. Elles se sourirent et vidèrent leurs verres.

Cinéma

et télévision

Des dizaines de romans J'ai Lu ont fait l'objet d'adaptations pour le cinéma ou la télévision. Vous y retrouverez vos héros, vos amis, vos rêves...

Demandez à votre libraire le catalogue semestriel gratuit.

ARSENIEV Vladimir
Dersou Ouzala (928 ****)
Un nouvel art de vivre à travers la steppe sibérienne.

BARCLAY et ZEFFIRELLI
Jésus de Nazareth (1002 ***)
Récit fidèle de la vie et de la passion du Christ, avec les photos du film.

BENCHLEY Peter
Dans les grands fonds (833 ***)
Pourquoi veut-on empêcher David et Gail de visiter une épave sombrée en 1943 ?

BLATTY William Peter
L'exorciste (630 ****)
A Washington, de nos jours, une petite fille vit sous l'emprise du démon.

BLIER Bertrand
Les valseuses (543 ****)
Plutôt crever que se passer de filles et de bagnoles.

BURON Nicole de
Vas-y maman (1031 **)
Après quinze ans d'une vie transparente aux côtés de son mari et de ses enfants, elle décide de se mettre à vivre.

CAIDIN Martin
Nimitz, retour vers l'enfer (1128 ***)
Le super porte-avions Nimitz glisse dans une faille du temps. De 1980, il se retrouve à la veille de Pearl Harbor.

CLARKE Arthur C.
2001 - l'odyssée de l'espace (349 **)
Ce voyage fantastique aux confins du cosmos a suscité un film célèbre.

CONCHON, NOLI, et CHANEL
La Banquière (1154 ***)
Devenue vedette de la Finance, le Pouvoir et l'Argent vont chercher à l'abattre.

CORMAN Avery
Kramer contre Kramer (1044 ***)
Abandonné par sa femme, un homme reste seul avec son tout petit garçon.

COYNE John
Psychose phase 3 (1070 **)
... ou le récit d'une terrible malédiction.

CUSSLER Clive
Renflouez le Titanic ! (892 ****)
... pour retrouver le minerai stratégique enfermé dans ses flancs.

FOSTER Alan Dean

Alien (1115 * * *)
Avec la créature de l'Extérieur, c'est la mort qui pénètre dans l'astronef.

Le trou noir (1129 * * *)
Un maelström d'énergie les entraînait au delà de l'univers connu.

GOLON Anne et Serge

Angélique, marquise des Anges
Son mari condamné au bûcher, Angélique devient la marquise des Anges à la Cour des Miracles. Puis elle retrouve grâce auprès de Louis XIV et dispute son amour à Mme de Montespan. Bien d'autres aventures attendent encore Angélique...

GUEST Judith

Des gens comme les autres (909 * * *)
Après un suicide manqué, un adolescent redécouvre ses parents.

HALEY Alex

Racines (2 t. 968 * * * * et 969 * * * *)
Ce triomphe mondial de la littérature et de la TV fait revivre le drame des esclaves noirs en Amérique.

HAWKESWORTH J.

Maîtres et valets (717 * *)
Ce célèbre feuilleton de TV évoque la société aristocratique anglaise du début du siècle.

KING Stephen

Carrie (835 * * *)
Ses pouvoirs supra-normaux lui font massacrer plus de 400 personnes.

LARSON et THURSTON

Galactica (1083 * * *)
L'astro-forteresse Galactica reste le dernier espoir de l'humanité décimée.

LEVIN Ira

Un bébé pour Rosemary (342 * *)
A New York, Satan s'empare des âmes et des corps

Ces garçons qui venaient du Brésil (906 * * *)
Sur l'ordre du Dr Mengele, six tueurs nazis partent en mission.

LUND Doris

Eric (Printemps perdu) (759 * * *)
Pendant quatre ans, le jeune Eric défie la terrible maladie qui va le tuer.

MALPASS Eric

Le matin est servi (340 * *)
Le talent destructeur d'un adorable bambin de sept ans.

Au clair de la lune, mon ami Gaylord (380 * * *)
L'univers de Gaylord est troublé par l'apparition de trois étranges cousins.

RODDENBERRY Gene

Star Trek (1071 * *)
Un vaisseau terrien seul face à l'envahisseur venu des étoiles.

RUBENS Bernice

Chère inconnue (1158 * *)
Une correspondance amoureuse peut déboucher sur la tragédie.

SAGAN Françoise

Le sang doré des Borgia (1096 * *)
Une tragédie historique où se mêlent l'amour, l'argent et le poison.

SAUTET Claude

Un mauvais fils (1147 * * *)
Emouvante quête d'amour pour un jeune drogué repenti.

SPIELBERG Steven

Rencontres du troisième type (947 * *)
Le premier contact avec des visiteurs venus des étoiles.

TROYAT Henri

La neige en deuil (10 *)
Une tragédie dans le cadre grandiose des Alpes.

Le Guide de l'enfant
de la conception
à 6 ans...
LE GUIDE
de l'enfant
de la conception à 6 ans
1982
grossesse, accouchement
alimentation, vie quotidienne
toutes les adresses utiles
500 jouets
100 idées
de jeux
vos droits
la garde
la santé
2000 prénoms
sondage les nouveaux parents
Format
200 x 280 mm
388 pages en couleurs
35F chez votre marchand de journaux
...parce qu'on veut
tout savoir
de ceux qu'on aime.

Editions J'ai Lu, 31, rue de Tournon, 75006 Paris

diffusion
France et étranger : Flammarion, Paris
Suisse : Office du Livre, Fribourg
diffusion exclusive
Canada : Flammarion Ltée, Montréal

Achevé d'imprimer sur les presses de l'imprimerie Brodard et Taupin
7, Bd Romain-Rolland, Montrouge. Usine de La Flèche,
le 15 février 1982
6606-5 Dépôt Légal février 1982. ISBN : 2 - 277 - 21330 - 6
Imprimé en France